JEAN MONBOURQUETTE

Vivre
un deuil

ÉDITIONS DU MÉRIDIEN

Les Éditions du Méridien bénéficient du soutien financier du Conseil des arts du Canada pour son programme de publication.

LE CONSEIL DES ARTS | THE CANADA COUNCIL
DU CANADA | FOR THE ARTS
DEPUIS 1957 | SINCE 1957

DISTRIBUTEURS:

CANADA FRANCOPHONE:
MESSAGERIE ADP
955, rue Amherst
Montréal (Québec)
H2L 3K4

EUROPE ET AFRIQUE FRANCOPHONE:
ÉDITIONS BARTHOLOMÉ
16, rue Charles Steenebruggen
B-4020 Liège
Belgique

ISBN 2-89415-188-8

© Éditions du Méridien

Dépôt légal — Bibliothèque nationale du Québec, 1997
Imprimé au Canada

TABLE DES CHAPITRES

Vivre un deuil

LISTE DES TABLEAUX ET DES FIGURES

INTRODUCTION

Notre qualité de vie dépend étroitement de notre bien-être psychique et ultimement, de la façon dont nous gérons les pertes inévitables qui surviennent dans notre vie.

La plupart du temps, les pertes majeures sont provoquées par le décès d'un proche. Que se passe-t-il alors? Par où passe le chemin qui mène à la guérison? Quels sont les facteurs qui interviennent pour faciliter ou pour compliquer ce cheminement?

Et puis, lorsque nous voyons un proche aux prises avec un deuil, quelles sont les erreurs à éviter et comment pouvons-nous l'aider?

Voilà autant de questions qui seront abordées dans les pages qui suivent, avec beaucoup d'exemples vécus pour illustrer clairement les enjeux en présence.

Au fil des ans, ma compréhension du deuil s'est trouvée considérablement enrichie par les expériences et les questionnements de mes étudiants. Ceux-ci exerçaient des métiers divers: préposé-e-s, infirmières et infirmiers, enseignants et enseignantes, accompagnatrices bénévoles, aumôniers, personnel de maisons funéraires, psychologues et travailleuses sociales...

Je veux les remercier ici pour le rôle qu'ils ont joué dans la production de ce volume.

Jean-Luc Hétu
Été 1997

Note: Pour alléger la lecture, le nom des auteurs cités n'est accompagné que de l'année de publication du volume ou de l'article, sans mention de la page. La référence complète de l'ouvrage se trouve dans la liste des références, à la fin du volume.

Les personnes désireuses de connaître les pages précises d'où proviennent les citations ou les données peuvent se reporter à mon volume *Psychologie du mourir et du deuil*, paru en 1994 chez le même éditeur. Elles y trouveront également de multiples références complémentaires.

CHAPITRE 1

Vivre un deuil

Nous tissons tout au long de notre vie des liens innombrables, souvent à notre insu. Les liens avec les personnes sont d'habitude les plus conscients, mais ce n'est pas toujours le cas. Au travail, par exemple, on passe dix ans dans l'entourage d'un collègue qu'on remarque à peine. Mais au moment où il prend sa retraite, on réalise soudainement que son départ a laissé un vide en nous.

Il y a aussi les liens avec les animaux, avec les immeubles, avec le voisinage... Chacun à leur façon, ces liens nous disent qui nous sommes et où nous en sommes dans l'aventure de l'existence. Ils ont ainsi pour fonction de nous rendre la vie moins imprévisible et plus stable.

La mort d'un proche et, toute proportion gardée, la disparition d'un immeuble ou la perte de tout un voisinage lors d'un déménagement, viennent nous enlever cette sécurité dont nous jouissions, et faire naître en nous de l'anxiété. Nous voilà en deuil.

LA NATURE DE LA PERTE

Lors d'un cambriolage, on a souvent du mal à identifier toutes ses pertes, et ce n'est parfois que plusieurs mois plus tard qu'on découvre que tel article a aussi été volé. Il en va de même lors d'un décès: le survivant ne connaît pas encore la nature exacte de ses pertes. Par exemple, le décès d'un homme peut signifier ou non pour son épouse la perte d'un partenaire sexuel, d'un compagnon, d'un comptable, d'un jardinier, d'une présence qui réchauffe le lit, d'un commissionnaire...

La difficulté à bien saisir ce qui est perdu se complique du fait que le décès entraîne des pertes associées. Par exemple, la veuve n'a pas seulement perdu son mari, elle a aussi perdu son statut de femme mariée, et ses relations ne seront plus jamais les mêmes avec les couples amis. Elle a peut-être perdu aussi une source de revenus, ce qui l'amènera à modifier à la baisse son niveau de vie, etc.

On comprend l'importance et le caractère pénible du travail de deuil quand on réalise que chacune de ces pertes devra être conscientisée et intégrée. La personne en deuil devra se réajuster à chacun de ces niveaux et trouver des façons nouvelles de répondre à ses multiples besoins qui demeurent maintenant sans réponse.

C'est ainsi que faire le deuil d'un être cher, ce n'est pas couper un câble, mais c'est dénouer un à un, chacun en son temps, les multiples fils qui tressaient ce câble.

LES PERTES NON RELIÉES À UN DÉCÈS

La nécessité du deuil dépasse les cas clairs d'un décès, pour inclure toutes les situations où l'on se trouve blessé, négligé, ou déçu. Il peut s'agir du rejet vécu par un enfant ou de son placement en famille d'accueil, de l'absence prolongée d'un parent ou d'un conjoint suite à une détention, une séparation ou un divorce, de la perte d'un animal de compagnie, ou encore d'un déménagement. Ajoutons l'exil pour les réfugiés ou l'abandon de la terre natale pour les immigrants, les pertes d'emploi, les faillites, les avortements, les pertes de réputation...

Ces pertes nécessitent un travail d'ajustement semblable en bien des points au deuil qui suit le décès d'un être cher. Et lorsque ce travail d'ajustement n'a pas été mené à terme, la mort d'un proche pourra venir réactiver ces pertes, rendant alors plus problématique la tâche du nouveau deuil.

ORIGINE DE LA RÉACTION DE DEUIL

Freud (1917) concevait le deuil comme un travail de détachement affectif à l'endroit de ce qu'on a perdu. Après ce pionnier, la figure qui fait autorité est le psychiatre anglais John Bowlby, qui a commencé sa carrière en observant les réactions de jeunes enfants séparés de leur mère lors d'une hospitalisation (Bowlby, 1951).

Quelques années plus tard, le médecin est frappé par la similitude entre ces réactions et celles des veuves. C'est le début d'une longue carrière, consacrée aux deux questions suivantes: qu'arrive-t-il quand un lien affectif est rompu, et pourquoi y a-t-il des deuils sains et des deuils compliqués? Nous résumerons en quelques propositions l'essentiel de sa théorie, qu'il expose dans trois volumes intitulés *Attachement et perte* (Bowlby, 1980).

1. Les humains manifestent comme les animaux des comportements instinctifs d'attachement face aux figures protectrices, soit la mère et ensuite les deux parents: suivre du regard, sourire, tendre les bras, s'agripper, pleurer, crier...

2. Ces comportements créent des liens, d'abord d'enfant à parents et plus tard, d'adulte à adulte. Les comportements d'attachement sont instinctifs, mais la capacité d'attachement, elle, se développe.

3. Le lien ne donne lieu à des comportements d'attachement que d'une façon occasionnelle,

soit en cas de fatigue ou de peur, ou lorsque la figure protectrice cesse d'être disponible.

4. Les émotions les plus intenses se manifestent lorsque le lien est formé et maintenu (sécurité), perturbé (anxiété), retrouvé (joie) ou perdu (détresse et peine).

5. Les comportements d'attachement contribuent à la survie de l'individu en le gardant en contact avec la figure protectrice, réduisant ainsi les menaces de l'environnement: froid, manque de nourriture, risques de chutes et de blessures et risque des prédateurs.

6. Les comportements d'attachement correspondent chez la figure parentale aux comportements de soutien. Ceux-ci sont manifestés à l'endroit de l'enfant mais aussi de l'adolescent, du conjoint ou du parent âgé, en particulier lors de moments de stress.

7. A l'âge adulte, la formation d'un lien correspond au fait de tomber en amour, son maintien correspond au fait d'être en amour, et la perte du lien correspond au chagrin du deuil.

8. La menace à un lien vient activer les comportements d'attachement. En proie à la détresse, l'enfant pleure, s'accroche à sa mère et tente rageusement de la forcer à rester près de lui. Des enfants qui ont perdu leur mère dans un centre d'achat lui font parfois une colère en la

retrouvant, comme pour lui dire: «Ne me fais plus jamais ça.»

9. Ces comportements vont tendre à s'éteindre lorsqu'ils ne réussissent pas, mais pas tout à fait cependant. A des intervalles de plus en plus longs, l'enfant va éprouver de nouveau du chagrin et se remettre à la recherche de sa mère.

La disparition de la figure d'attachement va donc donner lieu, dans l'expérience du deuil, à la négation («Je vais finir par retrouver la personne qui m'a quitté») et à la colère («Elle n'a pas le droit de me quitter»). Nous y reviendrons mais notons tout de suite le caractère instinctif de ces réactions.

LE DEUIL EST-IL UNE MALADIE?

Freud (1917) écrit qu'il n'a jamais songé à considérer le deuil comme un état pathologique. Et pourtant, on traite souvent un endeuillé comme s'il était malade: son employeur tolère qu'il s'absente de son travail, ses proches lui rendent visite, parlent souvent de lui à voix basse, et prennent parfois des décisions à sa place.

On résiste parfois à concevoir le deuil comme une maladie, parce qu'on le voit comme une réaction normale de l'organisme. Mais la maladie aussi est un phénomène normal. Il est dans l'ordre des

choses qu'on soit parfois grippé avec une forte fiè-
vre, qu'on fasse une bronchite ou du zona, qu'on
ait une tumeur...

Plusieurs maladies sont mineures tandis que
d'autres sont plus graves ou risquent de le devenir.
Il en va de même du deuil. Si on ne veut pas le
comparer à une maladie, on peut du moins le comparer à un traumatisme comme une blessure ou
une brûlure, et penser dès lors en termes d'une
guérison plus ou moins rapide et plus ou moins
complète, selon les scénarios suivants:

- déclin de la santé physique, éventuelle-
  ment suivi de la mort;

- séquelles permanentes: diminution de la
  capacité de communications gratifiantes
  avec son entourage;

- retour au niveau de fonctionnement antérieur;

- croissance au-delà du niveau de fonctionnement antérieur, le sujet ayant gagné en
  maturité et en créativité.

Si le deuil n'est pas une maladie, c'est du
moins une période critique dont l'issue incertaine
et qui, pour cette raison, requiert qu'on soit vigilant
et qu'on se fasse aider au besoin.

LES PHASES DU DEUIL

Là où il y avait attachement, il y a eu arrachement. Et là où il y a eu arrachement, il doit maintenant y avoir détachement. Celui-ci peut être plus ou moins complet, et plusieurs endeuillés choisissent de garder un lien intérieur avec l'être aimé. Mais ils doivent quand-même apprendre à se détacher de leur anciennes façons d'interagir avec lui. Le deuil consistera ainsi dans l'ensemble des réactions d'ajustement à cette perte.

Ces réactions constituent un processus, dans lequel la majorité des cliniciens et des chercheurs distinguent différentes phases. Nous dégagerons l'ossature commune aux différents modèles, qui sont le plus souvent constitués de trois phases.

LA PHASE DE CHOC ET D'ÉVITEMENT

Nous sommes portés à réprimer l'idée de notre mort et à nous croire immortels. C'est pourquoi nous tendons à réagir par la négation lorsque confrontés au diagnostic d'une maladie fatale. Il en va de même lors du décès d'un être cher. C'est pourquoi l'essentiel du travail de deuil consistera à nous permettre d'éprouver les émotions, les idées et les sentiments que nous aurons d'abord niés.

La première réaction en est donc une de choc et de négation. Comme le boxeur envoyé au tapis, le sujet qui apprend la nouvelle du décès se trouve étourdi et tente de se relever en se demandant ce qui a pu se passer. A mesure qu'il revient à lui, il entreprend de nier la nouvelle, comme pour se donner le temps d'absorber le coup. Le boxeur s'est remis debout sur ses jambes, il titube et il est confus, mais il tente de se convaincre que tout va bien et qu'il peut poursuivre le combat comme si rien ne s'était passé.

Certains boxeurs nient seulement les effets du coup qui leur a été porté, mais d'autres vont jusqu'à nier le fait même qu'ils aient été frappés, disant par exemple qu'ils ont glissé sur le tapis mouillé. Pareillement, l'endeuillé peut se borner à nier ses émotions et s'employer par exemple à réconforter ses proches. D'autres sujets disent qu'ils sont corrects et qu'ils n'ont pas besoin d'aide. L'endeuillé peut même nier par intervalles le fait même de la mort, et s'imaginer que le défunt ne s'est qu'absenté et qu'il reviendra bientôt.

On observe souvent un certain degré de négation jusqu'à la fin du deuil, comme l'illustre le témoignage suivant. «J'avais 15 ans quand mon frère aîné est mort dans un accident d'auto. Que de colère j'ai dirigée contre l'ami qui conduisait: c'est lui qui aurait dû mourir... Puis j'ai nié: ce n'était pas mon frère, dans le cercueil, non, ce n'était pas son visage, il y avait erreur sur la personne... J'ai longtemps cru qu'il reviendrait, je conversais avec lui dans mon imaginaire. Il était bien vivant, il sera là un jour ou l'autre. Pas de larmes. J'attendais son retour. Mais je m'ennuyais de lui.

«Avec les années, j'ai accepté que la vie ne me permette plus de revoir mon frère. Mais cette négation m'a éloignée de l'énorme chagrin ressenti lors du décès. Je réalise que trente ans plus tard, je suis peut-être en train de terminer ce deuil.»

LA PHASE DE DÉSORGANISATION

À mesure qu'il sort de la négation, l'endeuillé devient tendu et agité, comme si un nouveau malheur allait arriver. Il est déconcentré, distrait, incapable de s'adonner à ses tâches habituelles.

Il peut aussi vivre des *attaques de chagrin*, c'est-à-dire se sentir envahi par des vagues d'émotions et de sensations physiques intenses, comme si l'effet dévastateur du deuil se faisait sentir pour la première fois. Certains accidents de la route ou certains accidents de travail seraient attribuables à ces attaques de chagrin lors desquelles le sujet devient soudainement désorienté, ce qui peut l'amener aussi bien à brûler un feu rouge qu'à s'arrêter à un feu vert, par exemple.

Qu'il vienne par vagues subites ou à des moments plus prévisibles, comme le soir au lit, ou en regardant des photos du défunt, le chagrin se traduit normalement par des larmes, accompagnées ou non de sanglots. Un veuf s'exprime comme suit: «Les six premiers mois, la seule chose que l'on sache bien faire est pleurer. Les pleurs nous font sentir que nous sommes vivants, car nous ne sommes plus sûrs d'être vivants. Et lorsque les larmes ne sortent plus, on pleure en dedans.» (Viau, 1989).

On ne s'entend pas sur l'explication scientifique des larmes, mais on leur reconnaît volontiers des effets bénéfiques dans le soulagement du stress. Les pleurs sont donc à encourager, dans certaines limites que nous verrons plus loin.

La phase de désorganisation comporte également des réactions de nostalgie intense, donnant souvent lieu à des comportements de recherche. La personne en deuil cherche le défunt dans les endroits qu'il avait l'habitude de fréquenter, comme son fauteuil préféré ou sa place à table.

Il arrive aussi que l'endeuillé soit obsédé par l'image du défunt. Il croit le voir, l'entendre, sentir sa présence, et ces impressions sont si vives qu'il s'en trouve troublé, comme s'il avait été victime d'hallucination. Cette obsession va aussi se traduire par une intense activité de rêves, dans lesquels le sujet vivra toutes sortes de situations avec le défunt.

Viennent aussi des comportements de protestation et de colère, dirigés contre des cibles variées:

- le défunt lui-même, à qui le sujet reproche de l'avoir quitté: «Il n'avait pas le droit de me faire ça!»;

- l'entourage et le personnel médical, à qui le sujet reproche de ne pas avoir fait leur possible pour éviter la mort, ou à qui il reproche simplement leur incompréhension;

- Dieu, qui est *venu chercher* l'être cher, ou du moins, qui a permis sa mort;

- le sujet en deuil peut enfin tourner sa colère contre lui-même, auquel cas elle se transformera en culpabilité; il se reproche d'être encore en vie alors que la personne qu'il aimait est morte (ce qu'on appelle la culpabilité du survivant), et il se reproche ses maladresses et ses omissions dans sa relation avec le défunt, et aussi tout ce qu'il a pu négliger de faire pour éviter ou du moins retarder sa mort.

La colère n'est pas toujours dirigée vers des cibles précises. Elle prend souvent la forme d'une irritabilité diffuse et d'une amertume générale face à la vie, comme si celle-ci n'était plus qu'une suite d'embêtements.

Bien que normales, ces réactions ne sont pas toujours comprises par l'entourage, et elles risquent d'aliéner les personnes mêmes qui seraient les plus en mesure d'apporter à l'endeuillé soutien et encouragement.

Il faut également prévoir des réactions de dépression et de désespoir, qui font surface lorsque la colère faiblit et que le sujet se trouve rejoint par le caractère irréversible de la perte. Il s'agit ici d'une période d'affaissement où le sujet se sent impuissant, démotivé, inutile et incapable de se prendre en main.

Lorsque ces sentiments dépressifs cohabitent avec des symptômes de perte d'appétit et d'insomnie, on peut en venir à négliger son alimentation et son hygiène. Cette période est également propice au développement de la dépendance à l'égard de drogues telles l'alcool et les médicaments.

La phase de désorganisation inclut parfois des réactions d'identification avec le défunt, par lesquelles on tente d'empêcher celui-ci de disparaître complètement. Les formes les plus fréquentes consistent à «faire ce que papa ferait s'il était encore ici» et à prendre en charge ses activités et ses projets.

Cette identification peut aussi se faire par l'adoption inconsciente des mimiques et des façons de parler du défunt, de sa façon de se vêtir, voire même des symptômes dont il souffrait au moment de son décès.

Le survivant est aussi porté à idéaliser le défunt, en oubliant ses défauts et en amplifiant ses qualités. Ceci peut se faire soit pour réparer ses manques à l'endroit de l'être cher, soit simplement pour disposer d'une image plus consolante de celui-ci.

Notons enfin la présence éventuelle d'un sentiment de soulagement, surtout lorsque le décès est survenu après une longue maladie, ou même d'un sentiment de libération, surtout dans les cas où le défunt contrôlait la vie du sujet, comme dans le cas du parent surprotecteur ou du conjoint dominateur.

Ces sentiments exercent souvent un effet culpabilisant, comme l'illustre l'exemple suivant, provenant d'une veuve: «C'est effrayant à dire: je m'ennuie de la présence utile d'un homme dans la maison, mais je ne m'ennuie pas de mon mari comme tel.»

PHASE DE RÉINSERTION

La diminution progressive de ces réactions marque l'entrée dans la phase de retour à l'équilibre affectif et de réinsertion sociale. Le défunt n'est pas oublié, mais la vie reprend tranquillement son cours. Bien que fragile, le sujet se rend de plus en plus disponible à ses engagements et occupations d'avant le décès.

La phase de réinsertion s'apparente à une période de convalescence entre la maladie et le retour complet à la santé. Le sujet pourra éprouver plusieurs fois encore différentes réactions de deuil, mais à des niveaux d'intensité de plus en plus faibles et à des intervalles de plus en plus longs.

Lorsque complétée, cette phase se traduira par l'accession à une nouvelle image de soi, l'endeuillé-e n'étant plus le conjoint d'unetelle, la fille d'untel ou la mère d'untel, mais quelqu'un possédant une identité partiellement nouvelle, ou du moins réajustée.

L'endeuillé se surprendra encore à réagir avec son identité d'avant le décès, par exemple avec le réflexe de consulter le défunt, de lui téléphoner, de penser à célébrer son anniversaire de naissance... Mais les bases de la nouvelle identité sont implantées, et elles sont appelées à se consolider avec le temps.

LA DÉCISION DE VIVRE DE NOUVEAU

Une intervenante estime qu'à la fin de la première année du deuil ou dans les années qui suivent, l'endeuillé en vient à *décider de vivre de nouveau*, et qu'il est normalement en mesure d'identifier cette décision et les circonstances qui l'ont entourée (Johnson, 1987). Cette décision s'exprime à travers une symbolique claire: bâtir une nouvelle résidence, entreprendre un nouveau sport, faire un voyage qui servira de transition et marquera un nouveau départ, avoir un autre enfant...

Il ne faut pas confondre cette décision avec des stratégies d'évitement comme un déménagement ou un remariage prématuré, qui ne font que reporter le deuil. Ce discernement n'est pas toujours facile, car il arrive que des sujets prennent la décision de s'ouvrir de nouveau à la vie dans les premiers jours de leur deuil.

Dans bien des cas cependant, cette décision n'impliquera rien de nouveau comme tel, et elle prendra la forme d'un retour de l'énergie ou de la détermination à *reprendre le collier*.

Une femme dont le mari était décédé subitement confiait ce qui suit: "Je me sentais incapable d'aller aux bâtiments et dans les champs. La mort de mon mari me pesait sur le coeur. Puis un beau jour, j'ai pris mon courage à deux mains. Je me suis rendue aux bâtiments et je suis allée travailler aux champs. Quand je suis revenue à la maison, les voisins étaient là, pour m'annoncer qu'ils m'aideraient à faire les semences et les récoltes. A partir de ce jour, je me suis sentie plus forte, et j'ai accepté toutes les autres épreuves de la vie, et je m'en suis sortie en remerciant le bon Dieu".

Voici un autre exemple. Suite à la mort accidentelle de son fils aîné, une femme partageait ceci: "Aussitôt la cérémonie terminée, je voulais être seule avec mon mari et mes enfants. J'ai pris trois vitamines par jour. Je voulais être forte, je savais qu'ils avaient besoin de moi".

Cette décision de prendre des vitamines exprime probablement davantage le désir d'être forte *pour les autres,* et cette centration sur les autres contient probablement une part d'évitement: tant que je m'occupe d'eux, je n'ai pas à m'occuper de moi, ou encore: je vais soigner ma blessure en apaisant la détresse de mes proches...

La décision de vivre de nouveau implique d'habitude qu'on a d'abord vécu l'essentiel de la démarche de deuil, mais ceci n'est pas toujours facile à situer dans le temps. Le cas suivant est intrigant: des parents qui viennent d'apprendre à l'hôpital le décès subit de leur enfant décident de retourner à la maison et de faire l'amour dans le but d'avoir un autre enfant. "On a décidé de ne pas laisser cette expérience nous arrêter, ruiner notre vie et détruire notre mariage..."

Dans cette question comme dans beaucoup d'autres, il faut discerner le soubassement affectif dont le comportement émerge. Faire l'amour à l'époque même du décès d'un enfant peut signifier le désir d'éviter le deuil tout autant que le réflexe de se rapprocher de son conjoint pour réaffirmer la vie (Johnson, 1987).

Il faut donc aider les endeuillés à discerner la nature et l'origine des sentiments qui les habitent.

On doit aussi se rappeler que si on peut exercer un certain contrôle sur son deuil, celui-ci demeure en bonne partie un processus spontané qui se déroule à son rythme. C'est pourquoi bien des endeuillés réagissent négativement aux encouragements bien intentionnés à *se prendre en main*. Faites à contretemps, ces invitations risquent de les amener à se sentir incompris et non respectés.

Mieux vaut tenter de nous mettre à l'écoute de ce que l'endeuillé essaie de nous partager, et l'aider délicatement à voir comment il peut collaborer à ce mystérieux processus de guérison qu'est le deuil.

LES TÂCHES DE L'ENDEUILLÉ

On peut traduire en termes de *tâches* les différents défis qui se présentent à la suite du décès d'un proche. Ce concept permet une description précise des enjeux du deuil, tout en laissant une marge de manoeuvre à l'endeuillé pour s'acquitter de ces tâches à sa façon et à son rythme. Celui-ci pourra d'ailleurs s'acquitter de plusieurs de ces tâches d'une façon spontanée. Pour formuler ces tâches, nous nous inspirons directement de Rando (1993).

À LA PHASE D'ÉVITEMENT

1. Reconnaître la perte

– Admettre que le décès est survenu;

– comprendre la mort, c'est-à-dire se faire une idée précise des facteurs qui l'ont entraînée et des circonstances qui l'ont entourée: ceci est de nature à diminuer l'anxiété et la confusion chez l'endeuillé.

À LA PHASE DE CONFRONTATION

2. Réagir à la séparation

– Éprouver la douleur de la séparation: il faudra un jour passer par là, et le plus tôt est le mieux: on s'épargne ainsi des misères et on en épargne aussi à ses proches...

– sentir, identifier, accepter et exprimer toutes et chacune des réactions à la perte; l'endeuillé doit apprivoiser ces réactions, apprendre à leur donner un nom, à vivre avec elles, à trouver sa façon à lui de les exprimer et de les ventiler;

– identifier les pertes associées et en faire son deuil: le défunt était la source de différentes ressources spécifiques qui ne sont

désormais plus disponibles et dont le survivant doit apprendre à se passer.

3. Revivre sa relation avec le défunt

– Se remémorer d'une façon réaliste sa
relation avec le défunt, et donc chacun
des éléments qui la composaient, avec
ses hauts et ses bas, ses aspects positifs
et ses aspects négatifs;

– réexpérimenter les sentiments associés à
cette relation; d'une fois à l'autre, ces sentiments vont perdre de leur intensité, et les
liens vont ainsi se dénouer peu à peu: on
passe de la présence physique au souvenir douloureux, puis du souvenir douloureux au souvenir confortable...

4. Renoncer à ses anciens attachements et à son ancienne vision du monde

Notre vision du monde est à la fois le résultat
de notre expérience passée et le filtre qui nous
permet d'interpréter notre expérience présente et
d'entrevoir l'avenir avec une certaine confiance.
L'endeuillé doit laisser aller l'univers qui a cessé
d'exister avec la mort de l'être cher, en même
temps qu'il doit renoncer à ses habitudes reliées
au défunt, comme de mettre un couvert à table
pour lui ou de composer son numéro de téléphone
pour lui demander un conseil...

À LA PHASE D'AJUSTEMENT

5. **Évoluer vers un nouvel univers sans oublier l'ancien**

   – Reformuler sa vision du monde, qui s'est trouvée changée en proportion de la place affective et pratique que le défunt occupait dans sa vie;

   – développer une nouvelle relation avec le défunt; si la mort n'est pas niée et que le survivant s'investit dans la vie qui continue, il n'y a rien de malsain à ce qu'il choisisse de garder un lien avec le défunt; ce lien peut se manifester de multiples façons, comme se sentir influencé par le défunt, entretenir son souvenir, lui demander son aide, prier pour lui, visiter sa tombe, conserver des photos de lui ou des objets lui ayant appartenu...

   – se former une nouvelle identité: les changements survenus aux niveaux qui précèdent doivent se répercuter dans une nouvelle image de soi: je suis veuve, je suis le parent d'un enfant décédé...

6. **Réinvestir dans de nouveaux projets et de nouveaux rôles**

   Étant donné que son investissement avec le défunt ne le nourrit plus, ou du moins ne peut plus le nourrir comme avant, l'endeuillé doit s'engager dans de nouvelles activités ou raffermir son engagement dans ses rôles habituels, de manière à continuer d'être nourri par sa vie.

RÉSUMÉ DES PHASES ET DES SYMPTÔMES TYPIQUES

Nous terminons ce chapitre en résumant les diverses réactions associées aux trois phases du deuil, et en énumérant différents symptômes physiques susceptibles d'apparaître surtout lors de la deuxième phase. (On trouvera plusieurs illustrations intéressantes de cheminement de deuil dans Delisle, 1987).

Il est à noter que ce tableau n'indique pas de correspondance entre les diverses réactions de deuil (colonne de gauche) et les différents symptômes reliés au deuil (colonne de droite).

Tableau 1: *Réactions de deuil et symptômes de deuil*

PHASE DE CHOC ET D'ÉVITEMENT	
Choc	
Négation	

PHASE DE DÉSORGANISATION	SYMPTÔMES FRÉQUENTS
Agitation	Tensions à la gorge et à la poitrine
Déconcentration	Perte d'appétit et perte de poids
Larmes et sanglots	Troubles digestifs
Recherche	Fatigue musculaire et manque d'énergie
Obsession de l'image	Insomnies
Colère	Irritabilité, hypersensibilité au bruit
Dépression	Sensation d'essoufflement
Identification au défunt	Palpitations cardiaques
Idéalisation du défunt	Perte de désir sexuel
Soulagement et libération	

PHASE DE RÉINSERTION	
Retour à l'équilibre affectif	
Réinsertion sociale	
Identité nouvelle	

CHAPITRE 2

Facteurs de risque

La majorité des gens se remettent d'un deuil sans séquelle apparente. On a examiné des données obtenues à dix ans d'intervalle auprès de 14,000 sujets de 25 à 74 ans, et on s'est aperçu qu'au terme de cette période, les veufs et les veuves ne différaient pas des sujets encore mariés au plan de la perception de leur santé, de leurs activités quotidiennes, de la taille de leur réseau de soutien ou de leur bien-être psychologique. Les seules différences étaient un revenu inférieur à celui des couples, et une plus grande probabilité d'hébergement pour les sujets âgés (McCrae et Costa, 1988).

Ceci ne signifie cependant pas que le deuil se déroule sans souffrances. Les cliniciens observent des difficultés persistantes chez une importante minorité d'endeuillés.

À la limite, le deuil peut même s'avérer fatal. Deux spécialistes étudient depuis plus de quinze ans l'impact du deuil sur le taux de mortalité des survivants (Stroebe et Stroebe, 1993b). Ils ont examiné les études transversales, qui comparent à un moment précis les taux de mortalité des endeuillés par rapport à ceux des sujets mariés de même âge. Et ils ont examiné aussi les études longitudinales, qui suivent les mêmes sujets sur de longues périodes.

Ces recherches présentent une constante frappante: ce sont les sujets divorcés qui présentent les taux de mortalité les plus élevés, suivis par les endeuillés (surtout les veufs et les veuves), puis les célibataires. Ce sont les gens mariés qui présentent les taux de mortalité les plus bas. Ce phénomène a été observé à la fois dans différents pays et à différentes périodes historiques.

Dans les deux types de recherches, les endeuillés meurent plus souvent de maladies cardiaques et de cirrhose du foie. Le cancer pourrait aussi être en cause, mais après de longues périodes de latence. Un taux plus élevé de morts violentes, par suicide ou par accident, est aussi un fait établi, surtout pour les veufs dans la période suivant immédiatement le décès.

LES FACTEURS EN CAUSE

Cette surmortalité peut d'abord s'expliquer par le fait que le stress affecte le système immunitaire, rendant ainsi l'organisme plus vulnérable à la maladie, et qu'il perturbe aussi le système endocrinien, augmentant alors l'incidence des maladies coronariennes. Le stress s'accompagne aussi d'une augmentation de comportements à risque, comme la consommation d'alcool, du tabac et d'autres drogues, ainsi qu'une mauvaise alimentation.

Cette surmortalité peut aussi s'expliquer par le fait que le décès d'un proche perturbe le partage des rôles, surtout dans le cas des conjoints mais souvent aussi dans le cas du décès d'un parent ou d'un enfant, provoquant dès lors un stress additionnel.

L'IMPORTANCE DE LA PERTE

En toute logique, plus la perte est importante, plus l'endeuillé aura du mal à reconquérir son équilibre. Nous parlons évidemment de l'importance subjective. Une personne vivant seule peut se trouver davantage perturbée par la mort d'un chat qui partageait sa vie depuis longtemps, que par celle d'un frère qu'elle voyait peu.

Il faut aussi tenir compte des différentes pertes associées au décès. Par exemple, un étudiant en génie dut abandonner ses études au décès de son père, pour prendre sa relève à l'épicerie et subvenir aux besoins de sa famille. Ce garçon se trouva confronté non seulement au deuil de son père, mais aussi à celui de sa carrière, de son indépendance (il retourna vivre avec sa mère et ses frères et soeurs), et de son amie (qui le laissa pour fréquenter quelqu'un qui habitait plus près de chez elle).

Il fut peut-être plus facile pour lui de s'ajuster à la mort de son père comme telle, à laquelle il avait eu l'occasion de se préparer depuis un certain temps, qu'aux autres pertes qui en découlaient.

LES FACTEURS CONCURRENTS DE STRESS

Un deuil met à dure épreuve nos ressources d'adaptation. Sa gestion devient donc plus problématique lorsque nous devons investir en même temps une partie de nos ressources pour composer avec d'autres défis. Pensons à un homme qui est en train de s'ajuster à un divorce et qui perd une soeur dont il était proche. Ou pensons à une cadre dont le poste est remis en cause par la restructuration de l'entreprise, et dont l'adolescent se suicide.

Les anglais parlent de *la paille qui brise le dos du chameau* pour décrire l'impact cumulatif de plusieurs crises qui auraient été non problématiques si elles étaient demeurées isolées. On peut ainsi souffrir d'une *surcharge de deuils*, soit en perdant plusieurs proches en même temps, par exemple dans un incendie ou un accident de la route, soit en vivant plusieurs pertes consécutives (déménagement, décès du conjoint, perte d'autonomie...).

LES RESSOURCES DU SUJET

La façon de faire face aux crises de la vie diffère d'un sujet à l'autre. Certains nient leurs problèmes, d'autres se réfugient dans l'alcool ou se referment sur eux-mêmes et deviennent prisonniers du passé, tandis que d'autres encore vont chercher dans leur entourage ou dans leur religion le soutien nécessaire pour faire face à la situation.

À stress égal donc, certains s'en tirent mieux que d'autres. On a isolé un trait de personnalité que l'on pourrait appeler *force de caractère (hardiness)* ou *résilience*. Ce trait prendrait racine dans l'enfance et l'adolescence, et il amènerait le sujet à mobiliser ses ressources pour composer adéquatement avec son stress (Maddi et Kobassa, 1991). La force de caractère serait inversement reliée à la dépression (Shepperd et Kashani, 1991) et aux symptômes physiques (Wiebe et Williams, 1992).

D'autres auteurs ont développé le concept voisin de *sentiment de cohérence*, compris comme la confiance que nous éprouvons à l'endroit de nos ressources personnelles et de notre milieu, ainsi que dans ce que l'avenir nous réserve (Antonovsky, 1987, cité par Sullivan, 1993).

La *force de caractère*, le *sentiment de cohérence* et la *stabilité émotive* sont peut-être des appellations différentes du même facteur (Wiebe, Williams et Smith, 1990 et 1992). Plusieurs recherches sur la personnalité tendent à définir comme suit les caractéristiques du sujet émotivement stable: détendu, sûr de soi, tolère les frustrations, capable d'objectivité et de résister aux impulsions, bonne estime de soi.

A l'inverse, le sujet émotivement instable ou névrotique est anxieux, a peu de confiance en soi, se trouve facilement contrarié et se laisse facilement emporter (McCrae et Costa, 1991, voir Hétu, 1992, p. 81).

Les sujets dont la force de caractère est élevée connaîtront probablement une résolution moins laborieuse de leur deuil, ce que tend à confirmer une recherche menée auprès de 70 veuves âgées de 32 à 65 ans (Campbell et coll., 1991). Ces variables de personnalité seront ainsi associées à trois profils de deuil:

Score élevé: peu de symptômes et résolution rapide du deuil.

Score faible: symptômes persistants ou négation du deuil: absence de résolution ou résolution laborieuse.

Score moyen: parcours conventionnel du deuil, selon les trois phases (choc et évitement, désorganisation et réinsertion).

LA DISPONIBILITÉ DU SOUTIEN

Dans deux familles différentes, deux fillettes pleurent la mort de leur grand-père. La première se fait dire: «Arrête de pleurer, ça ne le fera pas revenir», tandis que le père de la deuxième fillette la prend sur ses genoux et lui explique doucement que son grand-père est heureux parce qu'il ne souffre plus et qu'elle peut continuer de lui parler dans son coeur.

Au moment du décès, l'endeuillé voit le monde s'écrouler autour de lui. Il se sent souvent anxieux, impuissant et abandonné, ce qui l'amène à éprouver le besoin de la présence rassurante de ses proches à ses côtés.

Pour être efficace, toutefois, ce soutien doit dépasser les manifestations de sympathie offertes au moment du décès, même si celles-ci peuvent avoir leur importance. Il s'agit plutôt de la disponibilité des proches dans les semaines et les mois qui suivent. Un chercheur a même constaté que le simple fait d'avoir quelqu'un à qui téléphoner pouvait faire une différence dans le taux de survie des endeuillés (Bowling, 1988).

Dans un témoignage qu'elle intitule à juste titre *Au-delà du congé habituel de cinq jours*, une femme confie ce qui suit: «Quand j'ai appris la mort subite de mon mari, je me suis écroulée. Mais on m'a dit que je pouvais faire face à la situation.

Ces mots-là m'ont donné la force de croire que je passerais au travers, avec le soutien de ma famille et de mes collègues. En plus, dans une conversation avec mon patron et mon chef de service, on m'a dit que l'on m'aimait, non pas une, mais six fois. Cela peut sembler banal, mais ces mots-là ont eu un effet incroyable.» (Rosenkranz Krysinski, 1993).

De telles réactions ne vont pas toujours de soi, car l'entourage a plutôt tendance à être mal à l'aise et à s'attendre à ce que tout rentre rapidement dans l'ordre. On se sent soulagé lorsque l'endeuillé nous dit que tout va bien, et on le remercie subtilement de ne pas nous causer d'ennuis: «Tu fais bien ça», «Vous êtes forte», «On est content de voir que tu es retombé sur tes pieds...» Ces pressions risquent de compliquer la tâche de l'endeuillé..

FACTEURS DE PERSONNALITÉ EN CAUSE DANS LE SOUTIEN

Certaines personnes qui vivent des expériences éprouvantes sont perçues comme *difficiles à aider*. De fait, le soutien peut se trouver partiellement amplifié ou au contraire neutralisé par les différents niveaux de ce qu'on appelle parfois la *compétence sociale* du sujet.

Lors de ses premières interactions avec ses parents, l'enfant apprend à utiliser ses babillages, ses sourires et ses pleurs pour mobiliser la présence et l'aide dont il a besoin. Mais ce ne sont pas tous les parents qui sont en mesure de répondre adéquatement à ces appels.

Différentes recherches donnent à penser que les sujets dont les parents étaient émotivement disponibles seront plus en mesure de profiter par la suite du soutien de leur entourage (Mallinckrodt, 1992). La figure suivante relie la progression dans le travail de deuil à la seule disponibilité du soutien.

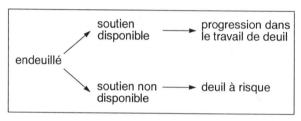

Figure 1: *L'impact du soutien sur le deuil*

Une étude n'a pas trouvé de lien entre le soutien reçu au moment du décès et le niveau d'ajustement un an plus tard. Ceci pourrait s'expliquer par le fait que l'entourage ne persévère pas dans son soutien au-delà d'une brève période suivant le décès.

Mais on a aussi observé que certains sujets pouvaient maintenir des contacts actifs sans être vraiment soutenus par ces liens, ce qui nous amène à une figure plus adéquate:

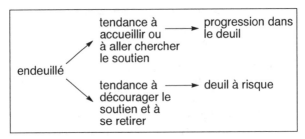

Figure 2:   *Les variables de personnalité*
                dans le soutien

Forts de leur expérience passée, les sujets *socialement compétents* réussissent mieux sur trois fronts. D'abord, ils ont appris à demeurer conscients de leurs besoins et à y répondre. Ensuite, ils ont appris à attirer l'aide de leurs proches, en faisant des demandes plus claires. Enfin, ayant une meilleure estime de soi, ils refusent moins souvent l'aide qu'on leur offre spontanément.

La compétence sociale n'est pas une question de tout ou rien, et la majorité des endeuillés se situent quelque part entre les deux branches de la figure. Par ailleurs, les facteurs de personnalité n'expliquent pas tout, et la disponibilité du soutien demeure malgré tout un enjeu important.

Les proches doivent faire un effort parce que le deuil entraîne souvent une tendance à se replier sur soi. Mais leur disponibilité, leur doigté et leur persévérance ne suffisent pas toujours, et c'est ce que fait ressortir la deuxième figure.

ÉVALUER LE SOUTIEN

Le soutien reçu durant les deux premières semaines suivant le décès n'est pas un bon indicateur de celui qui sera reçu par la suite. Pour évaluer le soutien reçu par un endeuillé, surtout si celui-ci est âgé, on peut s'aider des questions suivantes:

- sur une base hebdomadaire, combien d'appels téléphoniques l'endeuillé fait-il et reçoit-il?

- combien d'activités fait-il à l'extérieur de la maison?

- est-il en contact avec certains amis par correspondance?

- se sent-il encore impliqué dans sa famille ou dans son entourage? comment cette implication se manifeste-t-elle?

- se sent-il écouté et compris d'une façon particulière par certaines personnes de son entourage?

- quelles sont les personnes qui lui rendent des services sur une base régulière?

Au besoin, on pourra aider l'endeuillé à prendre lui-même l'initiative de ces contacts, ou encore à se prévaloir des ressources de son milieu: Centre de jour, organismes bénévoles, etc.

LES FACTEURS PHYSIQUES

En trop fortes doses, les calmants et somnifères, prescrits ou conseillés de bonne foi, peuvent garder le sujet dans un brouillard qui l'empêche de réagir affectivement à sa situation.

Par ailleurs, un deuil fait vivre des émotions intenses qui se logent dans le corps sous forme de tensions. L'exercice physique va donc contribuer d'une part à atténuer ces tensions, et d'autre part, à procurer à l'endeuillé un sentiment de bien-être (ou du moins de soulagement de sa douleur), et peut-être aussi le sentiment d'être en train de reprendre un peu de contrôle sur son existence.

LA QUANTITÉ D'AFFAIRES NON FINIES

Toute relation implique des négociations constantes entre les partenaires. On reçoit et on prend, on demande et on donne, on refuse et on promet, on se fait promettre et on se fait refuser, etc.

Le décès d'un proche vient figer à jamais ces négociations, laissant le survivant aux prises avec toute une gamme de sentiments. Le sujet a beaucoup reçu du défunt mais ne lui a jamais exprimé sa gratitude. Il lui était attaché mais ne le lui a jamais dit. Il lui a fait mal mais ne lui a jamais demandé pardon. Il s'est fait faire mal et n'a jamais pardonné...

Il faut aussi mettre au rang des affaires non finies les promesses exigées du survivant par la personne qui va mourir: «Quand je vais être parti, promets-moi que tu ne vendras jamais la maison...», ou faites spontanément par le survivant: «Je te promets que je ne me remarierai jamais...». Ces promesses s'avèrent parfois difficiles à tenir, et l'ambivalence qui s'ensuit risquera alors de compliquer le deuil.

Lorsque deux êtres qui s'aimaient ont eu la chance de voir venir la mort, de l'attendre ensemble et de prendre vraiment congé l'un de l'autre, les affaires non finies sont minimes et le deuil est plus facile pour le survivant. Dans le cas contraire, l'endeuillé devra gérer, en même temps que la douleur de sa perte, des regrets, de la culpabilité ou de l'hostilité qui viendront forcément interférer avec son travail de deuil.

LA PERCEPTION DES CIRCONSTANCES ENTOURANT LA MORT

Certaines morts sont perçues comme étant plus acceptables que d'autres, par exemple, si le sujet était âgé et très souffrant, ou si au contraire il était jeune et qu'il a péri dans un accident bête. Une mort perçue comme relativement acceptable sera évidemment plus facile à intégrer qu'une mort perçue comme une déchéance ou une injustice.

L'exemple qui suit illustre la façon dont la perception des circonstances entourant le décès peut agir comme un baume sur le survivant. Un homme âgé parle de la mort de son épouse dans les termes suivants: «Elle est partie tellement doucement. On était tous là. Elle était dans une chambre à quatre lits mais elle était seule, et je pouvais rester à coucher auprès d'elle. J'ai beaucoup apprécié ce geste de l'hôpital.»

Pour mieux apprécier l'impact facilitant de ces légitimations sur le deuil, imaginons le scénario inverse: «Les derniers jours, elle se débattait et criait et tout le monde était tendu. Elle est morte toute seule dans son coin, il n'y avait même pas personne à ses côtés. J'aurais aimé coucher auprès d'elle, il y avait un lit à côté du sien et il n'y avait pas d'autres patients dans la chambre, mais l'hôpital a refusé catégoriquement, disant que c'était contre le règlement...»

LE FAIT QUE LA MORT AURAIT PU ÊTRE PRÉVENUE

Un homme dont les facultés étaient affaiblies par l'alcool faucha un de ses enfants en rentrant chez lui en automobile. On peut penser que cet homme eut plus de difficulté à mener son deuil à terme que si son enfant était mort empoisonné par une fuite de gaz impossible à prévoir.

Outre les cas où le sujet peut s'attribuer à juste titre une certaine responsabilité dans le décès, la culpabilité qui est souvent éprouvée par le survivant est de nature à l'amener à se donner un rôle injustifié dans le décès. Cette culpabilité viendra évidemment rendre moins facile la résolution du deuil.

DEUIL INATTENDU ET DEUIL AMORCÉ AVANT LE DÉCÈS

Lors d'un décès subit, le sujet est pris par surprise et il tend à réagir par l'engourdissement et la négation, puis par des niveaux élevés des sentiments habituels: confusion, anxiété, dépression, culpabilité, difficulté à réorganiser sa vie...

Sa vision du monde en est ébranlée et au surplus, il se retrouve aux prises avec des affaires non finies en relation avec le défunt, puisque ce dernier est mort sans avertissement. Dans un tel cas, les symptômes de deuil risquent de persister plus longtemps.

À l'inverse, le deuil anticipé est l'ensemble des réactions d'ajustement à la perte qui se trouvent déclenchées avant le décès lorsque celui-ci est perçu comme inévitable. Comme dans tout deuil, le sujet doit réagir affectivement, tenter de terminer les choses non finies avec le mourant, renégocier son identité personnelle et commencer à planifier la réorganisation de sa vie.

Lorsque cette démarche d'ajustement se trouve amorcée avant le décès, l'endeuillé risque moins de se sentir submergé par la peine ou le désarroi lorsque le décès survient. Différentes études montrent ainsi que les sujets qui ont pu s'engager dans un deuil anticipé sont favorisés par rapport à ceux qui doivent s'ajuster à un deuil subit (Sanders, 1993). Nous y reviendrons.

LA QUALITÉ DES RITES FUNÉRAIRES

Les rites funéraires peuvent faciliter le parcours du deuil, et ceci, de multiples façons. D'abord, certains rites aident les survivants à se situer dans la réalité du décès et donc à sortir de la négation. Pensons au rite de l'exposition du corps avec cercueil ouvert, et au fait de mentionner à plusieurs reprises le nom du défunt lors de la cérémonie des funérailles.

D'autres rites aident les survivants à exprimer leur peine et leur douleur. Pensons à la fermeture du cercueil au salon funéraire, à la sortie du cercueil après la cérémonie à l'église, et à la descente du corps en terre.

Certains rites peuvent aider les survivants à commencer à mettre de l'ordre dans leurs souvenirs, de manière à se former une image consolante du défunt. Pensons à l'homélie, quand elle est prononcée par un célébrant qui connaissait le défunt et qui en parle en termes signifiants. Il arrive aussi que quelques membres de la famille prennent la parole à cette occasion pour témoigner de l'un ou l'autre aspect de la personnalité du défunt, ce qui va dans le même sens.

D'autres rites permettent aux endeuillés de ressentir le soutien et l'amitié des membres de leur réseau familial et social. C'est le cas des rites comme le rassemblement au salon funéraire, à l'église, et, de plus en plus souvent, pour un goûter au retour du cimetière.

Enfin, il arrive que des textes qui sont lus lors des funérailles, ou des commentaires qui sont faits par le célébrant, aident les survivants à commencer à dégager un sens religieux ou philosophique à l'événement du décès, lequel risquerait autrement de demeurer absurde à leurs yeux.

Lorsqu'il n'y a pas d'exposition ni de cérémonie religieuse, ou encore lorsque ces rites sont exécutés sans intériorité, les effets bénéfiques évoqués plus haut ont évidemment moins de chances de survenir.

Même en état de choc ou d'engourdissement au moment du décès, beaucoup d'endeuillés se souviendront en détail de tous ceux qui seront venus au salon funéraire, et de tous les mots de réconfort qu'on leur aura dits à cette occasion. Pour ces personnes, c'est ainsi après coup que les rites funéraires pourront exercer un impact sur leur deuil.

FACTEURS ADDITIONNELS DE RISQUE

Le travail de deuil se trouve également compliqué lorsque l'endeuillé se voit obligé d'assumer le rôle de la personne forte, dans le but de protéger les autres survivants. Dans le cas de la mort d'un enfant, l'un des conjoints prendra ce rôle pour soutenir son conjoint perçu comme plus faible. Lors de la mort d'un parent, ce rôle pourra revenir à l'un des enfants plus âgé ou perçu comme plus fort par les autres.

Dans un tel cas, le sujet aura de la difficulté à se permettre d'éprouver sa détresse, ce qui est une étape importante dans le parcours de deuil. C'est donc l'ensemble du déroulement du deuil qui pourra s'en trouver ralenti ou bloqué.

L'incertitude entourant la perte peut aussi s'avérer un facteur de complication. Ceci survient lors d'accidents ou de noyades dans des zones sauvages, ou lors d'enlèvements ou de conflits armés. Demeurant sans nouvelles pendant des années, les proches se trouvent ralentis dans leur deuil, comme s'ils avaient besoin d'une confirmation claire du décès pour commencer leur deuil.

CHAPITRE 3

Précisions sur le cheminement de deuil

Le fait de se représenter le deuil comme un processus constitué d'étapes ou de phases suppose que le deuil a une fin. On utilise parfois la formule "deux semaines, deux mois, deux ans", soit deux semaines de choc et de douleur intense, deux mois de désorganisation plus ou moins forte, et deux ans de réorganisation plus ou moins complète.

Cette approche suppose ensuite que l'on vise le désinvestissement face au défunt: le deuil se termine lorsque l'endeuillé en arrive à se détacher affectivement du défunt, de manière à pouvoir se réinvestir dans de nouvelles relations.

Or, l'expérience personnelle de Freud ne concorde pas avec ces deux présupposés. Ayant perdu en 1920 sa fille Sophia âgée de 27 ans et un petit-fils trois ans plus tard, il écrit à un ami en 1929: «Même si on sait qu'après une telle perte, la phase aiguë du deuil va se passer, on sait aussi qu'on va demeurer inconsolable et qu'on ne trouvera jamais de substitut.» Freud laissait donc entendre que pour des pertes importantes, le deuil peut ne jamais connaître de résolution complète, et se prolonger d'une façon indéfinie.

Dans la même ligne, un chercheur concluait comme suit une revue de quinze recherches sur des veufs et des veuves: «Il est amplement démontré que certains aspects du deuil peuvent se poursuivre toute la vie» (Lund, 1989). Nous verrons aussi comment des parents peuvent maintenir un lien permanent avec l'enfant qu'ils ont perdu, sans que l'on doive parler pour autant d'un deuil pathologique.

Une autre erreur consiste à confondre le travail de deuil avec la simple expression des émotions. Ce n'est pas parce qu'une personne pleure ou exprime de la colère qu'elle progresse nécessairement dans son deuil. Le deuil est un travail d'adaptation à la perte qu'on ne peut réduire à quelques comportements.

Pour éviter tout malentendu, il est préférable de définir le travail de deuil comme l'ensemble des tâches qui attendent l'endeuillé. Le deuil sain se situera alors à mi-chemin entre l'évitement de toute réaction et l'expression prolongée d'une détresse intense.

LES ÉTUDES QUI CONFIRMENT LE MODÈLE CLASSIQUE

Dans une étude de deux ans, un couple de chercheurs allemands a exploré la façon dont 30 veuves et 30 veufs composaient avec leur deuil (Stroebe et Stroebe, 1993a). Six mois après la perte, les endeuillés rapportaient significativement plus de symptômes que les sujets mariés d'un groupe-contrôle. Deux ans après la perte cependant, la plupart des endeuillés semblaient s'être ajustés, tandis qu'une minorité d'entre eux étaient toujours profondément déprimés et peu adaptés à leur nouvelle situation.

Cette recherche confirme l'approche classique sur deux points: d'abord, le deuil implique une perturbation, et ensuite, si tout va bien, un état d'ajustement fait normalement suite à cet état de désorganisation, et ceci pour la majorité des endeuillés.

Deux études impliquant plusieurs centaines de veufs et de veuves ont fait ressortir «un pattern fréquent d'ajustement constitué de nombreuses alternances de hauts et de bas, mais avec une amélioration subtile et graduelle» (Lund et coll., 1993). Dans ce pattern, la quantité de temps écoulé depuis le décès est systématiquement associée à une amélioration de la condition de l'endeuillé, ce qui confirme le fait que le deuil est un processus d'intégration qui se déploie dans le temps.

Une autre recherche menée auprès de 350 veufs et veuves apporte elle aussi une confirmation partielle au modèle classique du deuil par étapes, dans la mesure où les symptômes rapportés diminuent systématiquement avec le passage des mois (Shuchter et Zisook, 1993).

Cette étude permet de dresser le portrait-robot suivant de l'endeuillé typique: Il s'ennuie du défunt (77% des sujets) tout en ayant du mal à croire à son décès (70%), il pleure en parlant du défunt (61%) et souffre de solitude (59%).

Cependant, moins d'un endeuillé sur six dit éprouver de la colère, de la culpabilité, de la difficulté à se concentrer ou du soulagement, tandis qu'une forte minorité d'entre eux (entre 28 et 41%) ne se reconnaît aucun des symptômes habituels.

Dans cette recherche, le modèle classique qui implique une étape de désorganisation et de symptômes ne s'appliquerait donc qu'à environ deux endeuillés sur trois, le troisième vivant un deuil sans difficultés particulières, ce que nous appellerons plus bas un *deuil rapide.*

LA COMPLICATION DU DEUIL

Le modèle classique ne permet toutefois pas de rendre compte de la minorité de sujets qui sont toujours déprimés deux ans après la perte. Ceci pose la question du deuil compliqué ou pathologique.

Dans les formes courantes de deuil compliqué, le sujet tend soit à éviter le travail de deuil en se coupant de ses émotions (deuil reporté ou deuil inhibé), soit au contraire à se centrer d'une façon obsessive sur sa perte (deuil chronique), et ceci, soit dans des ruminations solitaires ou en faisant ouvertement et fréquemment référence au défunt.

Ceci met en lumière le fait que le travail de deuil consiste dans l'alternance entre la *centration sur la perte* (pour sortir de la négation et ventiler les sentiments associés à la perte), et le *dépassement de la perte* (pour laisser aller le défunt et se refaire une vie où celui-ci est désormais absent).

Un sujet engagé dans un travail de deuil qui progresse est à la fois capable de penser à sa perte et d'en parler, contrairement au sujet d'un deuil inhibé ou reporté pour lequel la perte est taboue, et il est capable aussi d'arrêter d'y penser et d'en parler, contrairement au sujet d'un deuil chronique, vécu soit dans la rumination ou la détresse ouverte.

LA SUPPRESSION ET LA RÉPRESSION

Ce qui est en jeu dans le deuil sain, c'est le mécanisme appelé *suppression*, par lequel le sujet se coupe *provisoirement* de ses souvenirs et de ses sentiments douloureux (Vaillant, 1990). Dans le deuil inhibé ou reporté, c'est la *répression* qui est en cause: le sujet a *oublié* ce qui lui est arrivé. Ayant perdu contact avec les sentiments associés à la perte, il ne peut progresser dans leur ventilation et il se trouve bloqué dans son travail d'adaptation.

La répression est un contrôle rigide sur lequel le sujet n'a plus de pouvoir, tandis que la suppression est un contrôle flexible: l'évacuation des souvenirs et des sentiments est *réversible* et le sujet se permet de doser à son rythme l'intensité des émotions auxquelles il peut présentement faire face.

Dans le deuil normal, le sujet se donne des *périodes de relâche*, c'est-à-dire des distractions, des activités et des contacts qui lui permettent de se refaire et de continuer à faire face à son vécu problématique par la suite.

SUPPRESSEURS, RÉPRESSEURS ET SENSIBILISATEURS

Nous devons tous, à certains moments, exercer un certain contrôle sur nos sentiments ou sur nos idées. Mais certains sujets utilisent cette stratégie plus adéquatement que d'autres. Ils vont par exemple suivre le proverbe qui recommande de se tourner la langue sept fois dans la bouche quand on se trouve dans une situation délicate, plutôt que se laisser emporter par l'émotion du moment.

Ces sujets vont aussi suivre le proverbe disant qu'il faut "faire contre mauvaise fortune bon coeur". Confrontés à un contretemps sur lequel ils n'ont pas de pouvoir immédiat, ils vont s'employer à "voir le beau côté des choses" plutôt que ruminer leur malheur ou s'en plaindre abondamment.

Mais les *suppresseurs* ont facilement accès aux réalités qu'ils mettent provisoirement entre parenthèses, de sorte qu'on observe une bonne correspondance entre ce qu'ils disent et leur non verbal, de même qu'avec leurs réponses physiologiques (Weinberger, 1990).

Une veuve nous donne une bonne illustration de la suppression: «Depuis que mon mari est décédé, il y a six mois, j'essaie d'éviter les situations où je deviendrais trop émotive, pour ne pas caler dans la déprime. Quand ça arrive, j'essaie de me distraire avec d'autres. Par contre, je fais une bonne braille quasiment une fois par semaine.»

À l'inverse des suppresseurs qui demeurent en contact avec leurs difficultés, les *répresseurs* sont inconsciemment portés à éviter de penser à ce qui pourrait les troubler, et à éviter aussi de s'exprimer sur ces réalités. Ils sont peu conscients de ce qui se passe à l'intérieur d'eux-mêmes et n'éprouvent qu'un sentiment confus de détresse et d'impuissance, qu'ils s'emploient à cacher derrière une façade d'ajustement (Bonanno et Singer, 1990).

Quant aux *sensibilisateurs*, ils sont portés pour leur part à se fixer sur leurs expériences négatives dans des ruminations obsessives. Au début du siècle, le psychologue américain William James avait à ce sujet ces observations pénétrantes: «Les gens sains ont une incapacité constitutionnelle à souffrir longuement.» Ils sont portés à «minimiser le mal», en modifiant leur perception d'eux-mêmes ou leur environnement, ou les deux à la fois.

Les gens moins sains sont portés à voir le mal «comme faisant partie intégrante de leur vie et à l'amplifier (...) tout en ne se reconnaissant pas de pouvoir sur lui en changeant leur environnement ou leur perception d'eux-mêmes. (...) Plutôt de voir le beau côté des choses, ils sont portés à se centrer sur le côté sombre et inquiétant de leur vécu.» (James, 1902).

Nous retrouvons donc ici, à partir de concepts et de recherches différentes, les facteurs de personnalité dont nous avons parlé au chapitre précédent. La figure suivante situe l'impact de ces trois traits de personnalité sur la démarche de deuil:

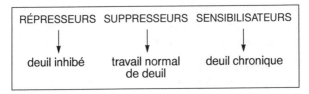

Figure 3:   *L'impact des traits de personnalité*
sur le deuil

Une recherche menée auprès de 66 femmes et de 26 hommes en deuil d'un enfant, d'un parent ou d'un conjoint, a permis de distinguer les quatre profils suivants: un groupe dont les réactions semblaient chroniques, un groupe dont les réactions étaient réprimées et où les malaises psychosomatiques étaient plus nombreux, un groupe dont les réactions étaient à la fois normales et contrôlées, et un groupe déprimé (Sanders, 1980 et 1993).

Ces quatre profils tendent à confirmer la figure présentée ci-haut, si l'on regroupe les sujets déprimés et les sujets d'un deuil chronique. Une autre étude, réalisée en Suède, a obtenu des profils apparentés, trois ans après la perte (Kallenberg, 1992).

Les facteurs de personnalité peuvent donc contribuer à compliquer un deuil, tout comme ils peuvent le faciliter. C'est ainsi que dans la ligne de plusieurs autres recherches, on a trouvé que les stratégies suivantes tendaient à coexister: action

rationnelle, persévérance, pensée positive, rete-
nue et se faire à l'idée. Ces stratégies seraient typiques des *suppresseurs*.

On a observé chez d'autres sujets un regrou-
pement de stratégies moins saines: réactions hos-
tiles, refuge dans les fantaisies, blâme adressé à
soi-même, consommation de calmants, retrait, in-
décision et espoir que tout se règle tout seul (Ormel et Wohlfarth, 1991). Ces stratégies seraient lo-
giquement associées à un deuil plus laborieux.

Les sujets habitués à composer efficacement
avec le stress franchiront donc plus rapidement les
trois étapes classiques du deuil. À l'inverse, lorsque la perte sera très grande, un certain nombre
d'endeuillés pourront ne jamais terminer leur deuil.
On pourra alors se représenter de la façon suivante les différentes dynamiques de deuil:

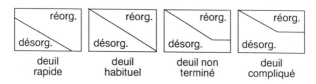

| deuil | deuil | deuil non | deuil |
| rapide | habituel | terminé | compliqué |

Figure 4:   *Les différentes dynamiques du deuil*

La distinction entre deuil terminé et deuil non
terminé est parfois subtile. Un auteur estime ainsi
qu'un endeuillé qui a réussi la résolution de son
deuil devient «un être humain plus triste mais plus

sage» (Epstein, 1993), tandis qu'un autre croit que tous les endeuillés conservent une certaine sensibilité à leur perte (Rubin, 1990).

Dans notre figure, un deuil non terminé est un deuil où subsiste un certain degré de déséquilibre, et où le travail de deuil encore à faire pourra se traduire par une amélioration du niveau de fonctionnement du sujet.

L'approche par les tâches, décrite au premier chapitre, fournit des critères permettant de déterminer la fin du deuil. Voici d'autres indicateurs à cet effet (Weiss, 1993):

1. capacité d'investir son énergie dans ses activités quotidiennes;

2. confort psychologique, caractérisé par l'absence de détresse et de souffrance;

3. capacité de goûter les plaisirs qui se présentent au fil de la vie;

4. ouverture confiante face à l'avenir, qui permet de faire des projets et de voir à leur réalisation;

5. capacité de vivre adéquatement ses différents rôles.

On verra plus loin différents critères permettant de distinguer entre un deuil normal et un deuil pathologique. Ceux que l'on vient de décrire permettent pour leur part de distinguer entre un deuil terminé et un deuil normal mais non terminé.

Les quatre profils de deuil campés plus haut dépendent à la fois des traits de personnalité de l'endeuillé, de la signification que la perte revêt pour lui, et des circonstances dans lesquelles le deuil se déroule.

Le modèle classique qui prévoit un enchaînement de trois grandes phases continue de s'appliquer à la majorité des endeuillés aux prises avec une perte significative. Mais les réflexions qui précèdent nous rappellent qu'il existe bien des façons de réaliser ce parcours.

On pourra ainsi interpréter l'absence de signes de détresse chez l'endeuillé par le fait que celui-ci compose adéquatement avec sa perte (deuil rapide), plutôt que par le fait qu'il nie ses problèmes.

Naturellement, cette possibilité ne nous dispense pas de demeurer à l'affût des signes plus ou moins subtils de détresse, de manière à identifier les endeuillés qui sont en difficulté et à leur apporter notre aide pour faciliter leur parcours de deuil, ou encore, à leur conseiller de recourir à une aide professionnelle.

CHAPITRE 4

Les deuils marginalisés

Certains deuils doivent être vécus dans le silence et la solitude, à cause de la réprobation qui entoure le lien de l'endeuillé avec le défunt, ou encore à cause de l'inconscience de l'entourage à l'endroit de la perte.

De multiples situations peuvent donner lieu à un deuil marginalisé: une mort par suicide, une relation homosexuelle, un lien extra-conjugal, un avortement, une mort à la naissance ou une fausse couche, la perte d'un animal de compagnie, une rupture amoureuse à l'adolescence ou à un âge plus avancé, un divorce...

Dans bien des cas, la personne endeuillée n'est pas confrontée à la réprobation mais plutôt à l'insensibilité de ses proches, mais le résultat est le même: elle se voit livrée à elle-même pour vivre son deuil.

LE DEUIL APRÈS UN SUICIDE

Selon la remarque frappante de Shneidman (1990), «la personne qui se suicide laisse son squelette psychologique dans le placard émotif du survivant», et cet impact se ferait sentir quel que soit le lien de parenté entre le défunt et l'endeuillé: parent, conjoint, frère ou soeur, enfant... (McIntosh et Wrobleski, 1988).

D'autres chercheurs ont constaté que des sujets dont un proche s'était suicidé durant leur enfance se sentaient encore affectés dans leur bien-être une fois parvenus à l'âge adulte (Demi et Howell, 1991).

La difficulté du deuil suite à un suicide tient à des facteurs contextuels en plus des facteurs impliqués dans la dynamique même de ce type de décès:

1. Le corps du défunt est souvent mutilé.

2. Le contact avec ce corps se fait en l'absence du soutien habituel des intervenants quand le décès survient en milieu hospitalier. On doit par exemple se rendre à la morgue pour identifier le corps.

3. Il y a souvent des policiers dans le décor. Or, il y a souvent un élément de stress dans un contact avec un policier en uniforme, et ceci, même si celui-ci agit avec tact (on associe son

rôle et son uniforme à la violence, à la criminalité, au drame...).

4. Lorsqu'un suicide implique des modalités violentes comme une arme à feu, une pendaison, un saut d'une fenêtre, l'endeuillé peut décoder plus ou moins inconsciemment ce geste comme une agression à son endroit, comme si le suicidé avait voulu s'en prendre à son entourage en se détruisant lui-même.

L'IMPACT DE LA CULPABILITÉ

Le suicide d'un proche est de nature à laisser le survivant aux prises avec une culpabilité issue de multiples sources (Kovarsky, 1989):

– le fait d'avoir pu contribuer à la mort, par exemple à cause d'une relation conflictuelle avec la personne qui s'est suicidée, ou, dans le cas d'un fils ou d'une fille, en lui ayant légué à sa naissance un héritage psychologique lourd;

– le fait de ne pas avoir empêché la mort, par exemple en ne reconnaissant pas la détresse du sujet qui s'est suicidé;

– le fait d'être vivant alors que le proche est mort (ce qu'on appelle la *culpabilité du survivant*);

- le fait d'éprouver de la colère à l'endroit du défunt;

- le fait de se sentir abandonné et rejeté par lui;

- le fait de s'être senti soulagé par sa mort ou le fait de garder le goût de vivre ou de reprendre goût à la vie malgré cette mort.

On a comparé les sentiments de 132 parents dont l'enfant était mort soit par suicide, par accident ou à la suite d'une maladie (Shandor Miles et Sterner Demi, 1992). Environ la moitié des parents de ces trois groupes ont rapporté vivre une source de culpabilité, mais près de la moitié des parents endeuillés par suicide ont rapporté vivre deux sources de culpabilité (très peu de parents ont rapporté vivre trois sources).

Dans l'ensemble, la détresse des endeuillés provenait davantage de la solitude que de la culpabilité, mais pour les endeuillés par suicide, la culpabilité était une source de détresse aussi forte que la solitude.

LA QUESTION DU SOUTIEN

Les endeuillés suite à un suicide disent parfois recevoir moins de soutien et être portés à cacher la cause du décès. Certaines études révèlent toutefois que les endeuillés par suicide perçoivent autant de soutien que les autres endeuillés, mais ils se sentent plus souvent l'objet de remarques désobligeantes (Barrett et Scott, 1990, Thompson et Range, 1992).

Dans une recherche menée auprès de 35 endeuillés par suicide, Van Dongen (1993) a observé que 69% d'entre eux ont dit avoir reçu un bon soutien de leurs proches, tandis que 26% rapportaient avoir été l'objet d'au moins une expérience désagréable. Mais ces incidents ne sont pas toujours faciles à identifier, et la subjectivité des endeuillés entre en jeu ici. Par exemple, l'une d'entre eux dit que personne ne l'a vraiment rejetée, mais elle ajoute: «Mais je sais que les gens parlent. Je sais qu'il y a du potinage...»

Il est vrai que les choses sont subtiles, car en blâmant le suicidé («Ce n'est pas une façon de régler ses problèmes...»), on s'en prend à la mémoire du défunt, et on atteint par le fait même les proches qui sont en deuil de lui.

Mais il faut distinguer entre une réaction de blâme par un membre de l'entourage à l'endroit de l'endeuillé, et le simple fait pour l'endeuillé de se sentir mal à l'aise en présence des autres, et de se demander ce que les autres vont penser de lui.

Ces deux phénomènes ne sont pas incompatibles, un deuil par suicide pouvant stimuler *à la fois* du potinage et des attitudes de compassion à l'endroit de l'endeuillé.

Il faut aussi distinguer entre une réaction de blâme et une intervention malhabile qui entraîne des réactions négatives de la part de l'endeuillé, comme le fait de ne pas comprendre l'intensité de son deuil et de s'attendre à ce qu'il retombe rapidement sur ses pieds.

UN IMPACT DIFFICILE À ÉVALUER

Certaines études font ressortir la tendance à percevoir plus négativement les endeuillés par suicide: on s'imagine qu'ils possèdent une moins bonne santé mentale, qu'ils y sont pour quelque chose dans le décès, qu'ils sont plus affectés par leur deuil... (Calhoun et Allen, 1991).

Ces perceptions pourraient résulter davantage de l'inconfort que du blâme. Une recherche a ainsi trouvé que des collégiens avaient les mêmes attitudes négatives face à quelqu'un qui aurait fait une tentative de suicide que face à quelqu'un qui serait aux prises avec une souffrance constante (Lester, 1992). Ceci aide à comprendre que l'inconfort tende à diminuer à mesure que le sujet interagit avec l'endeuillé.

Par ailleurs, d'autres études n'ont rien trouvé de pathologique dans le deuil des endeuillés par suicide (McIntosh et Wrobleski, 1988), ou n'ont pas trouvé de différences notables entre ces derniers et les endeuillés à la suite d'autres types de décès (Sterner Demi et Shandor Miles, 1988).

Il ne faut donc pas exagérer le niveau de risque que comporte le deuil suite à un suicide. Il faut aussi faire attention au phénomène des *prophéties qui s'autoréalisent*: en dramatisant ce type de deuil, on pourrait bien communiquer inconsciemment aux endeuillés qu'ils sont dans une mauvaise posture et qu'ils vont avoir bien du mal à s'en remettre, ce qui ne ferait qu'amplifier leur sentiment d'impuissance et de détresse.

Mais comme ce type de deuil comporte sa part de risques, il est bon d'identifier les sujets en difficulté et d'intervenir pour les accompagner ou les mettre en contact avec les ressources appropriées.

LA PERTE D'UN LIEN MINORITAIRE

Les survivants des liens minoritaires comme les couples homosexuels et les partenaires de relations extra-conjugales sont souvent empêchés d'accompagner leur partenaire dans son mourir, et de commencer ainsi à vivre leur deuil avant le décès. La résistance provient d'habitude de la famille du mourant, mais parfois aussi du personnel soignant et des membres du clergé, surtout dans le cas d'un décès suite au sida, où l'on soupçonnera par exemple l'endeuillé d'être infecté lui aussi (Sanders, 1993).

Dans d'autres cas, c'est le sujet lui-même qui décidera de se tenir à l'écart, de peur de faire des rencontres embarrassantes avec la famille ou de manière à se protéger du rejet. Il n'apprendra parfois le décès qu'après l'enterrement, comme cette femme qui, sans nouvelles de son amant, se décide finalement à lui téléphoner à son bureau, pour apprendre son décès de la bouche de la réceptionniste.

Ces survivants se retrouvent fréquemment laissés à eux-mêmes, avant comme après le décès, sans le soutien de leurs proches. Cette expérience d'exclusion est souvent vécue également au moment des funérailles. Un homme qui avait vécu cinq ans avec son partenaire disait ceci: «Dans le sermon, le prêtre a nommé tout le monde, ses parents, ses soeurs, ses frères, ses tantes, ses oncles, ses neveux et ses nièces, même ses professeurs. Tout le monde sauf moi.»

Enfin, les sujets formant des couples traditionnels se voient faciliter un peu la tâche de transition en recevant le statut de veufs ou de veuves, ce qui leur assure quelques égards pendant un certain temps. Par exemple, leur employeur acceptera qu'ils s'absentent quelques jours du travail, et leur entourage leur manifestera plus d'attention qu'à l'accoutumée. Les survivants de liens minoritaires, quant à eux, ne peuvent pas s'appuyer sur un tel statut pour vivre leur deuil et évoluer vers une nouvelle image d'eux-mêmes (Doka, 1986, 1987).

Voici le cas de Marthe, une célibataire de 78 ans. Au milieu de la quarantaine, elle a aimé pendant sept ans un homme marié qui est mort subitement devant elle au travail. Elle parle de lui avec admiration, et dit s'être longtemps sentie coupable d'avoir peut-être hâté sa mort à cause du stress impliqué dans cette relation clandestine.

Elle a dû vivre son deuil en secret. La veuve parlait avec elle de son mari défunt, et Marthe appréciait ces échanges, qui faisaient revivre son compagnon devant elle. Elle dit avoir mis dix ans à terminer ce deuil, du moins en bonne partie: «Il y a toujours une cicatrice, mais elle ne saigne plus.»

Ce cas conjugue les deux facteurs de risque du deuil inattendu et du deuil marginalisé. Certains conjoints endeuillés peuvent mettre eux aussi de nombreuses années à terminer leur deuil, sans qu'on parle pour autant d'un deuil pathologique.

Rappelons qu'un deuil peut être non terminé sans être pathologique pour autant, comme l'illustre l'exemple suivant. «Il y a vingt ans, je suis tombée follement amoureuse. Après six mois d'échanges de nombreux téléphones et de nombreuses lettres ainsi que de quelques rencontres, j'ai mis fin à cette relation qui entrait en conflit avec mon engagement conjugal.

«J'ai vécu avec un coeur en miettes durant plusieurs mois. Je ressentais physiquement la

douleur de son absence. J'en ai parlé pour la première fois dix ans plus tard, à ma grande amie. J'ai
eu de la difficulté à me faire comprendre, et j'ai finalement conclu que cette peine ne concernait
que moi.

«Au fil des années, je me suis imprégnée de la
conviction qu'un NOUS existait toujours, ne serait-
ce que par les souvenirs. Je vis désormais avec
l'idée que notre relation se poursuit, mais sous une
autre forme, par des liens invisibles. Il y a des
deuils qui ne se font pas, car le coeur refuse le lâ-
cher-prise.»

LE DEUIL D'UN PARENT ABUSEUR

L'enfant qui subit l'inceste vit plusieurs pertes,
et ce, du vivant même de son parent abuseur:
perte de l'image d'un parent adéquat, perte de la
sécurité, et perte de son intégrité psychologique
(Shabad, 1989).

Ces pertes sont tellement difficiles à vivre que
l'enfant est souvent amenée à les réprimer dans
son inconscient, se plaçant alors dans une situation de deuil inhibé. Pour mener son deuil à terme,
souvent lorsqu'il sera devenu adulte, il lui faudra
revivre non seulement sa peine et sa détresse,
mais aussi sa rage et sa révolte (Wingerson,
1992).

Lorsqu'il n'a pas été fait du vivant de l'abuseur, souvent avec l'aide d'un thérapeute, ce deuil sera activé par le décès du parent en cause. L'endeuillé se trouvera alors à risque d'un deuil compliqué.

Nous examinerons au chapitre suivant les différentes dynamiques empruntées par un deuil devenu compliqué.

CHAPITRE 5

Quand le deuil se complique

Tous les endeuillés ne progressent pas dans leur deuil. On parle de deuil compliqué quand l'endeuillé se trouve bloqué pour un temps prolongé dans une ou plusieurs de ses tâches (Rando, 1993). Celui-ci se sent alors incapable d'admettre que la perte est survenue et qu'elle a des implications pour lui, ou encore il se sent incapable de ne pas s'accrocher au défunt et de laisser la vie suivre son cours.

Les raisons profondes d'un deuil compliqué sont d'habitude à chercher dans l'histoire du sujet plutôt que dans les circonstances entourant le deuil, de sorte que celui-ci ne serait que le révélateur d'une difficulté latente.

LES CAUSES À LONG TERME

Bowlby voit la santé mentale comme consistant essentiellement dans la capacité de créer des liens d'intimité. On a vu plus haut comment cette capacité est reliée à la formation des premiers liens entre l'enfant et ses parents.

Le chercheur a observé différents profils d'attachement (Bowlby, 1988), qu'il a reliés à des façons différentes de vivre l'intimité, et par conséquent, à des façons différentes de gérer la rupture des liens interpersonnels. La figure suivante illustre cette dynamique.

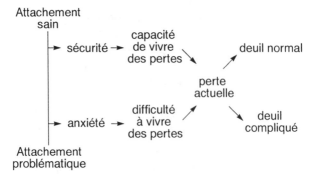

Figure 5:   *La dynamique attachement précoce\perte actuelle*

TROIS PROFILS

Le premier profil est l'*attachement confiant*, et il prend sa source dans une relation sécuritaire entre l'enfant et ses parents, en particulier sa mère, lesquels étaient sensibles à ses besoins de protection et de confort.

Le second profil est l'*attachement anxieux*, qui découle d'une relation dans laquelle la disponibilité des parents était imprévisible, et où ces derniers utilisaient la séparation et la menace d'abandon comme moyen de contrôler l'enfant.

Le troisième profil est *l'évitement de l'attachement*, qui résulte d'expériences répétées de rebuffades, voire de rejet de la part de la mère, lorsque l'enfant réclamait de celle-ci protection et confort.

Les sujets capables d'attachement confiant seront en mesure de gérer la rupture d'un lien intime, alors que les sujets des deux autres profils sont à risque d'un deuil compliqué. Les sujets caractérisés par l'attachement anxieux sont susceptibles de vivre une détresse prolongée, et donc un deuil chronique, tandis que les sujets portés à éviter l'attachement et à contrôler leurs besoins d'intimité, sont à risque d'un deuil inhibé, c'est-à-dire d'un deuil où le sujet a du mal à admettre la réalité de la perte et à se permettre d'y réagir.

LE DEUIL ABSENT OU INHIBÉ

Il arrive que le choc initial soit si puissant que le sujet n'éprouvera aucune réaction au décès et qu'il continuera son existence sans manifester aucun des nombreux symptômes courants de deuil. C'est le cas d'une femme qui, suite au décès de son père, lisait des bandes illustrées dans la limousine qui la conduisait au cimetière, et n'avait jamais manifesté de réactions de deuil par la suite, jusqu'à ce que sa misère chronique l'amène finalement en thérapie, une vingtaine d'années plus tard.

Dans certains cas, la perte initiale est complètement oubliée, et le sujet attribuera ses malheurs à une perte de moindre importance survenue par la suite. Une femme raconte l'incident suivant, survenu trente ans plus tôt alors qu'à l'âge de 16 ans, elle s'était vue abandonnée par une amie qui s'était jointe à un autre groupe.

«Mon deuil a été très intense, pour quelques secondes. Je ne sais pas ce qui s'est passé en moi, c'est comme si tout à coup, j'avais tourné le dos. Toute ma peine était disparue et cette fille m'était devenue indifférente.

«Je sais que si quelque chose de malheureux devait se reproduire, je réagirais de la même façon. Depuis ce jour, toute ma jeunesse, mes parents, mes frères et soeurs me sont devenus indifférents.

«Je me suis sentie tellement bien à ce moment. Je ne voudrais jamais redevenir enfant. Je ne serai plus jamais dépendante de personne. Depuis ce jour, je me sens très inconfortable en compagnie de ma famille. Je préfère ne pas les rencontrer.»

Avant de conclure que le deuil est inhibé parce qu'on observe pas de réactions de deuil, il faut toutefois s'assurer que le sujet n'a pas vécu son deuil avant le décès. Un survivant qui n'a plus de lien affectif avec le défunt n'a évidemment pas à vivre de deuil. Il faut s'assurer également que le sujet n'est pas en train de s'abstenir simplement des *signes extérieurs* de deuil, pour faire privément son deuil à sa façon.

On peut définir le deuil inhibé comme «l'inhibition sévère ou complète des réactions conscientes et des réactions externes, alors que les réactions inconscientes et les réactions internes surviennent à des degrés divers» (Rando, 1993).

Le sujet pourra nier qu'il soit affecté par la perte, voire même se montrer inconscient du fait que cette perte soit jamais survenue, alors qu'il démontrera par ailleurs des signes plus ou moins subtils permettant de déterminer qu'à un niveau inconscient, il est en train de réagir à cette perte.

LE DEUIL REPORTÉ

Le *deuil reporté* représente une catégorie subtile, parce qu'il ne signifie en fait qu'un délai dans le travail de deuil. Après un certain temps, le travail de deuil peut se trouver enclenché par une nouvelle perte, et se dérouler alors normalement, de sorte qu'on ne pourra pas parler de deuil pathologique. Ceci peut survenir par exemple lors d'une maladie grave ou lors d'un divorce, qui vient réactiver une perte antérieure, comme le décès d'un parent, par exemple.

Voici une illustration. Une femme se prépare à accueillir pour quelques jours son fils qui vit au loin, en réaménageant avec beaucoup de soins la chambre d'invités: peinture fraîche, nouveau tapis et nouveau divan-lit. Mais voilà qu'il y a deux accrocs dans le tissu du divan qu'on vient de livrer, peu visibles mais quand-même là, et la femme se trouve chavirée.

En relation d'aide, elle confie: «À chaque fois que quelque chose me tenait à coeur, j'ai reçu une tape sur la main.» Suit une description de ses pertes accumulées: décès de son père, crise de larmes de sa mère à sa première communion, problèmes à sa graduation, querelles de famille le jour de son mariage, son mari qui la quitte pour la chasse le jour où elle rentre de l'hôpital après une fausse couche... Le divan déchiré avait ainsi ramené cette femme à la tâche de ses deuils reportés: «Les deux accrocs m'ont sauté au visage: une vie pleine d'accrocs...»

On peut flairer un deuil reporté lorsqu'on se trouve en présence d'une forte réaction qui ne semble pas justifiée par la situation présente.

Outre le cas évoqué ci-haut, pensons au sujet qui réagit fortement à la perte vécue par une connaissance à laquelle il est peu lié, ou qui se sent chaviré par un épisode de télé-roman ou de film où il est question de perte.

Tant que le délai se prolonge, le deuil reporté et le deuil inhibé sont synonymes. Au terme de ce délai, l'endeuillé peut se retrouver dans une dynamique de deuil chronique ou de deuil conflictuel, ou simplement de deuil non terminé.

Le deuil reporté serait donc une catégorie intermédiaire ou provisoire plutôt qu'un syndrôme présentant sa configuration propre de symptômes. Ajoutons qu'il n'est pas toujours facile de distinguer entre un deuil reporté et un deuil qui a été amorcé il y a un certain temps et qui n'est simplement pas terminé.

Beaucoup de démarches de relecture de vie chez des sujets âgés portent sur des pertes anciennes. Lorsque, par exemple, une femme âgée de 79 ans pleure le décès d'un de ses enfants morts à la naissance, il n'est pas facile de déterminer s'il s'agit d'un deuil reporté ou d'un deuil non terminé.

En pratique cependant, les enjeux sont toujours les mêmes: il s'agit de se mettre à l'écoute de l'endeuillé, de voir quelles sont les tâches du deuil qui ont été laissées en plan, et de l'aider à progresser dans ces tâches.

LE DEUIL TRONQUÉ

Le *deuil tronqué* consiste à éviter certaines réactions normales de deuil pour en exagérer certaines autres. Les deux formes majeures du deuil tronqué consistent dans une grande colère ou dans une forte culpabilité (Raphael, 1983).

Dans les deux cas, les sentiments habituels de peine, de tristesse et d'ennui sont évacués. La colère s'explique, comme on l'a vu plus haut, par le sentiment d'avoir été abandonné et par le désir de punir en retour. L'endeuillé est rarement conscient de cette dynamique, et il peut se donner une vocation de redresseur de tort, ce qui lui permet de défouler sa colère sur des figures d'autorité. Dans d'autres cas, sa colère est plus diffuse et elle peut prendre la forme d'irritabilité ou de cynisme.

La culpabilité implique une autre dynamique. L'endeuillé avait une relation compliquée avec le défunt, et il se blâme pour ce qui n'a pas fonctionné, se disant que ses torts ont causé ou devancé la mort du défunt.

Une certaine dose de colère et de culpabilité sont présentes dans bien des deuils normaux et dans d'autres formes de deuil compliqué. Dans le deuil tronqué, ces deux sentiments sont à la fois intenses, persistants et exclusifs, l'endeuillé utilisant sa colère ou sa culpabilité pour se protéger des autres sentiments. La colère est en effet une bonne façon d'éviter sa peine ou sa culpabilité, et la culpabilité est une bonne façon de détourner sa colère et sa peine.

LE DEUIL CONFLICTUEL

Deux chercheurs ont interrogé près de 70 veufs et veuves à quatre reprises sur une période de trois ou quatre ans, et ont dégagé deux profils majeurs de deuil compliqué, soit le deuil conflictuel et le deuil chronique (Parkes et Weiss, 1983). Nous verrons d'abord la question du deuil conflictuel.

L'intensité et la durée du deuil sont-elles proportionnelles à la qualité du lien conjugal préalable? Les chercheurs ont découvert l'inverse: les sujets dont le deuil était le plus pénible provenaient pour une bonne part de couples marqués par des conflits et par la tentation du divorce.

Les endeuillés qui rapportaient davantage de conflits manifestaient moins de symptômes de deuil dans les premiers mois, tandis que les sujets issus de couples plus harmonieux paraissaient davantage aux prises avec leurs réactions de deuil.

Environ trois ans après le décès cependant, les sujets de couples harmonieux étaient presque tous revenus à un niveau de fonctionnement normal, alors que 40% des sujets de couples conflictuels avaient des ennuis de santé, 50% vivaient de la culpabilité ou de la colère ou étaient déprimés, et 80% d'entre eux étaient anxieux (chaque sujet pouvant cumuler ces différents sentiments). Au surplus, presque les deux-tiers de ces sujets avaient maintenant commencé à s'ennuyer de leur conjoint décédé.

Ce phénomène pourrait s'expliquer par l'ambivalence vécue dans la relation conflictuelle, le sujet vivant à l'endroit de son conjoint de la colère et un désir de rupture, mais aussi de l'attachement et souvent même de l'affection. Cette dynamique expliquerait à la fois l'ajustement initial au décès (phase dominée par la colère), et le déclenchement tardif du deuil (phase dominée par la tristesse, l'ennui et l'anxiété).

On peut aussi formuler l'hypothèse de l'incorporation du conjoint dans l'univers mental de l'endeuillé, comme si la figure du défunt continuait à l'influencer, pour le meilleur et pour le pire. Dans le cas des ménages harmonieux, l'endeuillé serait habité par le souvenir d'un conjoint attentif et respectueux et s'en trouverait soutenu dans son travail de deuil. Pour les ménages conflictuels, l'inverse se produirait: le survivant continuerait d'être hanté par le souvenir d'un conjoint insensible ou critique.

On peut aussi faire l'hypothèse du double deuil. Les survivants issus d'un ménage conflictuel auraient à faire le deuil de leur conjoint défunt, avec ses nombreux défauts et aussi ses quelques qualités. Mais ils auraient à faire en même temps le deuil du mariage dont ils avaient rêvé et qui n'a jamais pris forme.

Il y a enfin l'hypothèse des traits de personnalité de l'endeuillé. Comme dans le cas des sujets dépendants aux prises avec un deuil chronique, les difficultés des sujets issus de couples conflictuels se manifesteraient à la fois dans leur enfance, dans leur ménage, et dans leurs autres relations.

LE DEUIL CHRONIQUE

Les sujets prisonniers d'un deuil chronique se caractérisaient par une forte langueur à l'endroit du défunt, de même que par un profond sentiment d'impuissance, associé à un faible niveau de confiance en soi. A l'origine de cette langueur, les chercheurs ont décelé une forte dépendance à l'endroit du conjoint décédé, et ils font l'hypothèse que ces sujets avaient appris dans leur enfance à considérer leur univers comme dangereux et à se percevoir eux-mêmes comme dénués de moyens.

Cette dynamique aurait été mise en place par leurs parents, qui étaient eux-mêmes anxieux et portés à amplifier les dangers, en même temps qu'à minimiser la capacité de leurs enfants d'y faire face. C'est ainsi que ces derniers, devenus adultes, auront tendance à réagir à toute forme de séparation par une forte colère et une grande détresse, de même que par un attachement anxieux à la figure protectrice, que celle-ci soit vivante ou morte.

L'incapacité de laisser partir le défunt joue donc un rôle important dans le deuil chronique. Poursuivre indéfiniment son deuil, c'est en effet une façon de garder le défunt présent, au-delà de sa mort physique.

COMMENT DÉTECTER UN DEUIL COMPLIQUÉ

Le deuil chronique n'est pas simplement un deuil qui se prolonge ou un deuil non terminé. Bien des deuils peuvent requérir de nombreuses années sans être pathologiques pour autant. Pour qu'un deuil soit pathologique ou compliqué, il faut qu'une ou plusieurs tâches soient bloquées. Tant que l'endeuillé progresse dans ses tâches, son deuil doit être considéré comme normal, même s'il peut sembler inhabituel aux yeux de son entourage.

Il n'est pas toujours facile de diagnostiquer un deuil compliqué, pathologique ou bloqué (ces trois concepts sont synonymes). Nous avons vu plus haut qu'un deuil peut ne pas être terminé de nombreuses années après le décès, sans cesser pour autant d'être un deuil normal.

Au surplus, le deuil non terminé et le deuil compliqué se situent aux deux extrêmes d'un continuum, et ils se trouvent séparés par une foule de cas intermédiaires comportant des niveaux de difficulté correspondants.

Pour aider à la détection d'un deuil compliqué, Rando (1993) soumet la grille suivante:

1. Forte sensibilité aux expériences de perte et de séparation.

2. Hyperactivité, de manière à éviter l'émergence d'idées ou de sentiments réprimés.

3. Anxiété élevée en rapport à sa mort ou à celle de ses proches.

4. Idéalisation excessive et persistante du défunt.

5. Comportements rigides ou compulsifs.

6. Obsession du défunt.

7. Incapacité d'éprouver les émotions typiques du deuil.

8. Incapacité d'exprimer verbalement ses émotions et ses idées par rapport au défunt.

9. Peur de l'intimité avec autrui, pour éviter d'autres pertes.

10. Relations interpersonnelles perturbées depuis le décès.

11. Problèmes de comportement depuis le décès, incluant la dépendance à l'alcool ou à d'autres drogues.

12. Sentiment d'engourdissement ou sentiment d'être mal dans sa peau.

13. Présence chronique de colère, d'irritabilité, ou d'un mélange de colère et de dépression.

S'il faut veiller à identifier un deuil compliqué lorsqu'il se présente, il faut également éviter de conclure à un deuil compliqué là où il y a un deuil normal qui est simplement non terminé. Un deuil compliqué ou bloqué requiert une intervention thérapeutique pour se dénouer, tandis que le sujet vivant un deuil non terminé peut en principe continuer à progresser dans son deuil par lui-même et à son rythme.

Pour aider à éviter cette confusion, Rando suggère une autre série d'indices d'un deuil non terminé que l'on confond malencontreusement avec un deuil compliqué.

1. Revivre des sentiments ou des conflits reliés à un deuil non terminé.

2. Réagir à la perte par des comportements ou des symptômes.

3. Sentir qu'une partie de soi est morte avec le défunt.

4. S'apitoyer sur son sort (jusqu'à un certain point).

5. Maintenir un lien avec le défunt.

6. Aménager son environnement de manière à faciliter le souvenir du défunt.

7. Prendre des dispositions pour rappeler aux autres le souvenir du défunt.

8. Se sentir exposé à la mort ou sentir que ses proches sont susceptibles de mourir eux aussi.

9. Résister à modifier des choses ou des relations auxquelles le défunt était associé.

10. Se sentir en deuil pendant de nombreuses années, ou sentir que les réactions de deuil ne se résorbent pas avec le temps.

11. Ne pas apprécier que les autres continuent à vivre alors que le défunt est mort, ou ne pas apprécier que les autres ne vivent pas de deuil.

12. Vivre à l'occasion de fortes réactions de deuil, et ceci, longtemps après le décès.

En résumé, dans un deuil compliqué, on sent qu'une portion importante de l'énergie du sujet se trouve détournée, tandis que dans le deuil non terminé, on sent qu'une portion importante de cette énergie est redevenue disponible pour les tâches quotidiennes. Les deux profils suivants campent cette dynamique.

Tableau 2: *Deuil pathologique et deuil non terminé*

DEUIL PATHOLOGIQUE	DEUIL NON TERMINÉ
détresse consciente ou refoulée (perceptible à l'oeil exercé)	tristesse diffuse (plus sensible à certains moments)
entraînant un sentiment d'impuissance à contrôler	sentiment d'avoir repris sa vie en main
sentiment d'être prisonnier de ses symptômes (désespoir diffus)	conscience d'avoir parcouru un bout de chemin dans sa guérison
obsession ou phobie de la perte (on vit dans le passé ou le passé est tabou)	la perte est évoquée au fil de la vie, sans émotions déstabilisatrices
le sujet se définit toujours en fonction du défunt: le mari de Jeanne, la mère de Marc...	le sujet a modifié son concept de soi en fonction de son nouveau statut
le sujet est incapable de s'engager dans des relations d'intimité	le sujet a recréé des liens intimes et gratifiants
le sujet se sent incapable de trouver un sens à la vie	le sujet sent que la vie lui réserve malgré tout des joies et des défis

CHAPITRE **6**

Le deuil dans la famille

La majorité des pertes surviennent dans un contexte familial, et la dynamique de cette famille influence profondément la façon dont chacun des membres va vivre son deuil. Car une famille est un système d'interactions. Il s'agit en fait du système social dont les interactions entre les parties sont à la fois les plus fréquentes et les plus intenses.

En même temps qu'elle tend à monopoliser les attachements et les gratifications, la famille sera aussi la source des principaux conflits et des plus grandes frustrations. Tout système familial développe en effet des modèles de dominance et de soumission. L'influence majeure s'exerce souvent du père vers la mère, mais souvent aussi de la mère vers le père, surtout à mesure que les conjoints vieillissent.

Ces relations de dominance-soumission s'avèrent souvent complexes, chaque partenaire pouvant reconnaître à l'autre une quantité variable de pouvoir selon le secteur en cause: éducation des enfants, alimentation, santé, travaux lourds, finances...

La répartition du pouvoir s'accompagne aussi du jeu des alliances. Dans une famille, l'alliance la plus saine est bien sûr celle des deux parents, tandis que les alliances entre parents et enfants sont toujours anxiogènes et dysfonctionnelles pour les enfants (Christensen et Margolin, 1988).

Les alliances dysfonctionnelles, qui se forment toujours dans un climat conflictuel, regroupent souvent le père avec les filles et la mère avec les garçons, selon la dynamique oedipienne, mais parfois le père avec les fils et la mère avec les filles, selon des alliances de sexe. On verra parfois également un parent s'opposer à l'autre, soutenu par tous les enfants.

L'alliance la plus cruelle est celle de tous contre un membre isolé, ce qui correspond à la dynamique du bouc émissaire. Pour sauvegarder l'équilibre mental du plus grand nombre, le système se choisit une victime qu'il rendra responsable de l'anxiété, de l'agressivité et des frustrations éprouvées par les autres membres.

Le système familial attribue aussi à différents membres un certain nombre de rôles additionnels, comme par exemple le rôle d'organiser les choses, qui est souvent dévolu à la mère. Le membre qui occupe ce rôle n'est pas nécessairement celui qui détient le plus de pouvoir, et l'organisateur peut se retrouver en même temps dans la position du bouc émissaire.

Lorsque les parents ont des personnalités fragiles, le rôle d'organisateur sera joué par un des enfants. On a vu des enfants de sept ou huit ans tenir maison à la place d'un parent profondément déprimé ou à la limite de la désorganisation.

Il y a aussi le rôle de conciliateur, souvent dévolu à la mère, lorsque les relations deviennent difficiles entre les membres du groupe, et le rôle de chef de clan, souvent occupé par un grand-père ou une grand-mère qui trône sur toute la lignée. Ce rôle est parfois joué aussi par un frère plus fort et plus débrouillard.

Dans ces différentes dynamiques, chaque membre dépend de la stabilité de l'ensemble du système pour la satisfaction de ses différents besoins: sécurité, affection, reconnaissance, dépendance, dominance, etc.

SYSTÈMES OUVERTS ET SYSTÈMES FERMÉS

Certaines familles sont des *systèmes ouverts*, qui permettent à chacun d'exprimer spontanément ses sentiments, ses idées et ses projets, tandis que d'autres sont des *systèmes fermés*, où chacun se protège et se censure, de peur de soulever l'anxiété des autres et surtout leur réprobation et leur contrôle.

Les systèmes fermés tendent à engendrer des tabous, notamment autour de la sexualité et de la mort, ce qui sera évidemment de nature à compliquer la gestion des deuils.

Les systèmes ouverts génèrent des échanges nombreux, riches en diverses formes de soutien mutuel. Dans les systèmes fermés, au contraire, les échanges se font selon des rituels rigides qui appauvrissent les contacts.

Enfin, comme leurs appellations l'indiquent, les systèmes ouverts sont perméables aux influences et aux apports extérieurs et sont particulièrement bien équipés pour composer avec les imprévus. Les systèmes fermés, pour leur part, sont portés à ressentir comme des intrusions les contacts émanant de l'extérieur, et se sentent menacés par les imprévus.

Voici un exemple de système ouvert. Suite au décès de son grand-père maternel, une fillette de douze ans décrit comme suit le rôle de sa famille dans son deuil: «La famille me sécurisait beaucoup. Dans cet univers où fourmillaient dix membres, les autres exprimaient bien ce que je ressentais sans pouvoir l'identifier et l'exprimer. Aux repas, on vivait des moments agréables pour partager ce qu'on ressentait. Je trouvais ces moments réconfortants et je reconnais aujourd'hui qu'ils étaient guérissants pour la petite fille renfermée que j'étais alors. Je soignais ma peine à travers les mots avec lesquels les autres s'exprimaient. Je me souviens que même papa se faisait plus attentif à chacun de nous, surtout à maman, lui qui était moins présent à notre éducation.»

Précisons que la distinction système ouvert-système fermé est une polarité abstraite, et que la grande majorité des familles ordinaires se situent quelque part entre ces extrêmes.

L'EFFET DÉSTRUCTURANT D'UN DÉCÈS

Ces développements permettent d'apprécier l'impact potentiel d'un décès sur les autres membres, à tout le moins d'un membre central. Il arrive en effet que le décès d'un membre périphérique ait peu d'effet sur le système, comme par exemple un parent qui aurait été hospitalisé depuis longtemps à cause d'une maladie chronique.

En temps normal, c'est l'ensemble du système qui se trouve ébranlé jusque dans ses fondations. Certains estiment même que le système comme tel meurt avec le défunt, et qu'une nouvelle famille doit être reconstituée à partir des éléments qui restent (Raphael, 1983, Greaves, 1983).

Après un décès, les membres survivants continuent d'éprouver les mêmes besoins (de sécurité, de contact, de communication, etc.), mais ils doivent maintenant satisfaire les uns auprès des autres la portion de leurs besoins qui étaient jusqu'ici satisfaits par le défunt.

Par exemple, la veuve va tenter de trouver auprès de sa fille une confidente pour les préoccupations qu'elle partageait jusqu'ici avec son mari. L'enfant de cinq ans va tenter de trouver auprès de sa soeur de douze ans la compagne de jeu qu'il a perdue avec le décès de sa soeur de sept ans...

On sollicite de nouvelles alliances, ce qui veut dire qu'on devient davantage dépendant du comportement des autres, et d'autre part, on devient l'objet de demandes ou d'attentes non dites...

Le système familial ne redeviendra fonctionnel que lorsque ses membres auront accepté le fait de la mort et qu'ils se seront permis les uns aux autres de vivre leur deuil. Ceci n'est pas toujours facile car certains résistent à exprimer leurs émotions à cause de la présence des enfants dont ils sont maintenant les seuls responsables. Inversement, les enfants peuvent ne pas trouver auprès du parent survivant la disponibilité et la présence auxquelles ils sont habitués, parce que ce dernier se trouve aux prises avec son deuil.

Dans certains cas, on interdira plus ou moins subtilement à un membre de vivre ouvertement son deuil, de crainte de voir réactivée sa propre souffrance. Dans d'autres cas, ce sont les enfants eux-mêmes qui se censureront, de peur d'activer la souffrance de leur parent survivant, comme l'illustre l'exemple suivant: «J'avais cinq ans et demi quand mon père est mort. Je me sentais abandonnée et terrorisée pour l'avenir, mais je n'ai pas exprimé ma peur, ne voulant pas augmenter la détresse de ma mère et rendre mon jeune frère insécure.»

LE PHÉNOMÈNE DE L'ONDE DE CHOC

L'équilibre affectif du système familial se trouve rompu par des additions, comme l'arrivée d'un nouveau-né ou d'un grand-parent que l'on héberge. Cet équilibre se trouve également rompu par des soustractions, par exemple lorsqu'un enfant quitte pour se marier, ou comme lorsqu'un parent devient invalide.

Le remariage d'un parent constitue un bon exemple d'une rupture d'équilibre par addition, ce déséquilibre additionnel pour les enfants étant justement provoqué par la tentative du conjoint survivant de retrouver l'équilibre du système.

Le témoignage suivant manifeste une grande maturité et une grande empathie de la part d'un enfant de onze ans:

«Si mon père choisissait une autre femme? Bien, c'est sa vie. Nous autres, on est porté à moins trouver cela important parce qu'on n'est pas encore vieux. Mais lui, après avoir vécu presque quinze ans avec une femme et se retrouver tout d'un coup sans personne, peut-être qu'il aimerait avoir quelqu'un qui aiderait et qui serait présent aussi. Des fois il s'asseyait avec ma mère dans le salon pendant que nous on jouait, puis il parlait... Cela lui manque sûrement de parler avec quelqu'un de son âge. Moi, j'accepterais une autre femme dans la maison. Je l'accepterais parce que je suis sûr que mon père, il ferait un bon choix.» (Viau et ses fils, 1989).

La préoccupation de l'enfant face au remariage de son père pourrait toutefois s'expliquer en partie par son désir de retrouver la famille intacte («une mère qui aiderait et qui serait présente aussi»), ce qui illustrerait la loi de la tendance au retour à l'équilibre du système familial.

Comme on l'a vu plus haut, les systèmes ouverts réagissent fortement au début à ces événements, pour se réorganiser rapidement autour d'un nouvel équilibre par la suite. Les systèmes fermés, pour leur part, réagissent peu au début, mais développent par la suite différents symptômes physiques, psychologiques ou comportementaux (comme un problème d'alcool, une liaison, une faillite, un décrochage scolaire...).

Ce phénomène, que Bowen (1991) décrit sous l'image de l'onde de choc et qu'il observe depuis plus de trente ans, est le plus susceptible de se produire après le décès d'un membre important d'une famille où la dépendance mutuelle est à la fois forte et non reconnue.

Même dans un système fermé, ce ne sont pas toutes les morts qui sont susceptibles d'entraîner une onde de choc. Ce phénomène ne surviendra pas si le défunt était un membre marginal, par exemple. Et lorsque le défunt était dysfonctionnel (alcoolisme, criminalité, violence, par exemple), le système pourra même devenir plus détendu.

L'onde de choc n'est susceptible de se produire que si le défunt était important ou précieux pour le système (comme un leader ou au contraire comme un jeune enfant, par exemple). C'est donc la conjonction de ces deux facteurs, membre important et système fermé, qui produit des deuils à risque.

ENJEUX POUR L'INTERVENTION

Les interventions les plus réussies concourent non seulement à faciliter le deuil en cours, mais à équiper les membres de la famille pour composer plus sainement avec leurs futures pertes. L'impact d'une bonne intervention peut ainsi se prolonger jusqu'à la génération suivante, par exemple lorsque les adolescents présentement en deuil seront devenus parents à leur tour.

1. Aider à reconnaître la perte et à y réagir

Face à un deuil, le premier enjeu est d'aider les familles à reconnaître *ensemble* la réalité de leur perte, et à y réagir *ensemble*. Ceci implique donc la présence des enfants, et même des jeunes enfants.

Un spécialiste estime que «les tentatives bien intentionnées de protéger les enfants ou les membres de la famille perçus comme vulnérables n'a pour effet que de les isoler, de les priver du support de la famille, et de risquer ainsi de bloquer leur travail de deuil» (Bowen, cité par Walsh et McGoldrick, 1991).

L'incapacité d'un membre de faire face à la réalité de la perte peut couper cette personne des autres membres de la famille, ou encore l'amener à leur reprocher de progresser dans leur deuil. Deux spécialistes estiment ainsi que bien des conflits entre frères et soeurs remontent à ce qui s'est passé autour de la mort d'un de leurs parents (Walsh et McGoldrick, 1991).

Il arrive aussi que l'incapacité d'un parent de progresser dans son deuil se traduise par l'apparition de symptômes divers chez les enfants. L'expression des réactions de deuil et le partage sur la façon dont chacun s'y prend pour faire face à la perte sont donc des conditions nécessaires à un sain cheminement de deuil et au maintien de la famille comme lieu de protection et de soutien.

La conspiration du silence qui règne parfois dans la famille suite à la mort d'un membre n'est jamais saine, et elle doit être brisée. Pour ce faire, on peut repérer le membre de la famille pour qui ce silence est le plus inconfortable et échanger avec lui sur le décès, ce qui donnera la permission aux autres membres plus ambivalents de s'exprimer à leur tour.

2. Aider le système familial à se réorganiser

Un système familial en crise tend à *limiter les dégâts* en se cramponnant à des rituels rigides d'interaction entre les membres. Pour aider ce système à se réorganiser, l'étape précédente est donc nécessaire, puisque l'expression spontanée de chacun permet aux autres membres de voir les choses dans des perspectives différentes et les incite à risquer des modes d'interaction moins défensifs ou moins conflictuels entre eux.

La nouvelle répartition des rôles se fait habituellement d'une façon tacite et plus ou moins subtile, mais il y a des cas où les nouveaux mandats sont clairement signifiés. Certains mandats peuvent excéder les ressources du sujet. On rapporte le cas d'un adolescent de quinze ans qui apprend que son père est décédé subitement et qui se fait dire par un de ses oncles qu'il est désormais "l'homme de la maison". Suite à ce mandat, on lui demande de faire les arrangements funéraires, et notamment de décider si le cercueil sera ouvert ou fermé (Worden, 1991).

La période de réorganisation du système familial implique aussi la redistribution des alliances, par exemple le parent cherchant auprès de ses enfants le support qu'il trouvait jusqu'ici auprès de son conjoint défunt. Ceci aussi peut se faire simplement ou entraîner au contraire de l'anxiété, des tensions et des conflits, et mettre en place ou amplifier la dynamique du bouc émissaire.

Les interventions visant à aider à identifier et à comprendre ce qui est en train de se passer pourront favoriser la mise en place d'arrangements plus sains et plus fonctionnels. Il faut toutefois prévoir des résistances parfois fortes de la part des familles en deuil, à commencer par celles qui pourraient le plus bénéficier de telles interventions.

Un décès est une occasion de rapprochement et de réconciliation entre les membres survivants, tout comme il peut donner lieu à l'activation des conflits et à la distanciation des membres (Shuchter et Zisook, 1993). Toute intervention visant à aider la famille à gérer au mieux cette crise peut donc avoir des effets à long terme.

3. Intervention par les rituels

Les rituels familiaux peuvent aussi constituer une bonne piste d'intervention. Défini sommairement, un rituel est une façon habituelle de procéder dans une situation donnée. Un rituel peut être religieux, social, familial, individuel, organisationnel...

Les rituels familiaux incluent la façon dont on organise les repas quotidiens et les repas du dimanche, dont on célèbre les anniversaires, dont on vit les fêtes comme Noël, la Fête des Mères et la Fête des Pères...

Un rituel est limité dans le temps et l'espace, procurant dès lors une certaine sécurité aux participants, qui savent d'avance ce qui va se passer, au moins dans les grandes lignes.

Un rituel efficace contient un bon dosage de prévu et d'imprévu. S'il n'y a que du prévu, le rituel risque d'être vide ou clos: il ne se passe rien et les participants n'ont pas de vrai contact entre eux.

La façon dont les différents rituels familiaux se trouvent changés par un décès nous renseigne sur la façon dont cette famille compose avec les pertes.

Certaines familles ont des *rituels faibles ou pauvres*. Par exemple, un anniversaire de naissance ne sera souligné que par une carte de souhaits choisie sans attention et signée sans mot spécial ajouté.

D'autres familles ont des *rituels rigides* correspondant aux rituels vides ou clos mentionnés plus haut. Ces rituels peuvent être élaborés, comme par exemple un repas de Noël comportant plusieurs services, mais ils ne mettent pas vraiment les participants en contact entre eux. On est ensemble, mais on ne se parle pas vraiment.

D'autres familles ont des *rituels interrompus,* habituellement par la mort d'un membre: depuis cet événement, on évite les rassemblements et chacun se trouve livré à lui-même pour faire son deuil.

Les rituels sont un peu le ciment du système familial. Un décès vient souvent fissurer ce ciment et perturber la vie rituelle de la famille, soit pour l'affaiblir (première catégorie), la rendre plus rigide, comme pour nier la mort (deuxième catégorie), ou pour la paralyser complètement (troisième catégorie).

La vie rituelle de la famille se profile donc sur l'horizon de l'histoire de ses pertes, lesquelles peuvent interférer avec un déroulement nourrissant du rituel. À l'inverse, des rituels adéquatement planifiés peuvent faciliter la guérison des pertes passées, comme le montre l'exemple qui suit.

Une jeune femme confie: «C'est seulement quand j'ai décroché mon bac, trois ans après la mort de mon père, que j'ai réalisé l'importance de ma perte. L'instruction était tellement importante pour lui, et il aurait été tellement heureux. Quand il est mort, je me suis jetée à corps perdu dans mes études. Maintenant que je les ai terminées, je n'ai plus de fuite.»

La graduation de cette jeune femme aurait pu être soit l'occasion de continuer à nier sa perte (rituel rigide), soit une occasion de réjouissance légitime, mais entachée de culpabilité, soit encore une fête ratée, à cause de sa peine qui cherchait maintenant à faire surface.

Elle ajoute ce qui suit: «À ma graduation, j'étais prise entre ma tristesse et le fait que je sentais que mon père aurait été fier de moi. Mais ma mère a fait quelque chose qui m'a beaucoup aidée: elle a parlé publiquement de mon père, expliquant le sens que mes études avaient pour lui, combien il m'aimait et combien il serait fier de moi.»

L'intervention de la mère avait permis de convertir un rituel problématique en rituel adéquat, qui rejoignait les grandes fonctions de tous les rites funéraires, soit de

– marquer la perte d'un être cher;

– célébrer sa mémoire;

- faciliter aux survivants l'expression de leur peine;

- marquer la continuité de la vie.

On doit donc se faire attentif aux besoins des endeuillés, et les aider à se prévaloir de leurs rituels pour progresser dans leur travail de deuil, quitte à aménager ces rituels en fonction de leurs besoins précis (Imber-Black, 1991).

Malgré l'interdépendance que nous avons soulignée jusqu'ici, le deuil demeure une expérience intime, de sorte que même des personnes très proches vont forcément vivre des deuils différents. Ceci s'explique d'une part par le fait que chacun a une personnalité différente, et d'autre part par le fait que tous ne sont pas confrontés tout à fait aux mêmes pertes.

Par exemple, ils n'avaient pas nécessairement les mêmes liens, la même histoire et les mêmes affaires non finies avec le défunt. Ensuite, perdre un père, ce n'est pas comme perdre un conjoint, perdre un parent dont j'étais l'enfant préféré, ce n'est pas comme perdre un parent qui était plutôt absent...

Plusieurs des chapitres à venir nous donneront l'occasion de revenir sur la dynamique des interactions familiales à la suite d'un deuil.

CHAPITRE 7

Le deuil avant la mort

«Depuis que mon père est mort... je veux dire depuis qu'il a été malade...» Ce lapsus est un indice de ce qu'on appelle le deuil anticipé ou deuil avant la mort. Cette femme a vécu difficilement les trois interventions chirurgicales de son père âgé, qu'elle a accompagné lors de son long séjour aux soins intensifs. Son père s'est rétabli, mais il y a quelque chose de son lien avec lui qui est mort pour elle, et son lapsus indique qu'elle est en train de s'ajuster à cette situation.

On est porté à penser que c'est le décès d'un être cher qui déclenche le deuil chez ses proches. Mais en fait, le deuil commence normalement à partir du moment où le sujet perçoit la perte comme inévitable. Or, cette perception peut survenir longtemps avant le décès.

La perte majeure étant la perte de sa propre vie, le deuil avant le décès sera d'abord et avant tout la tâche du mourant lui-même. Elisabeth Kubler-Ross (1970) est à cet égard la pionnière du deuil avant le décès, puisqu'elle est la première à avoir étudié la dynamique de l'ajustement du sujet à son mourir.

On ne doit cependant pas tenir pour acquis que s'il est sur le point de mourir, le sujet et ses proches s'engagent automatiquement dans leur deuil. Une personne en phase terminale peut nier jusqu'à la fin qu'elle est mourante, et après la mort, certains proches pourront passer quelque temps sans manifester de signes de deuil. Cette inhibition du deuil peut survenir à plus forte raison dans les semaines mouvementées qui précèdent souvent un décès.

On peut donc résister plus ou moins fortement à s'engager dans un deuil. On a étudié le deuil de parents d'enfants morts du cancer et on a observé que les sujets qui s'ajustaient le moins bien étaient ceux qui avaient manifesté le moins de signes de deuil avant la mort de leur enfant (Rando, 1983).

LE DEUIL DES PERTES ASSOCIÉES

Il faut éviter de ne considérer que le décès comme tel, et oublier ainsi les nombreuses pertes qui précèdent ou accompagnent ce décès. Revenons à la femme dont nous avons parlé plus haut, et imaginons que son père, même hors de danger maintenant, soit demeuré diminué par ses diverses opérations.

Cette femme peut réaliser qu'elle ne fera plus jamais de promenades avec lui (perte de projets, perte de l'avenir). Elle peut réaliser que son père se désintéresse maintenant de tout ce qui ne concerne pas directement ses besoins physiques (perte de relation). Elle peut réaliser que son père est devenu un être diminué et fragile sur qui elle ne peut plus compter (perte de sécurité).

Cet exemple illustre le fait que le deuil du père est bel et bien commencé, comme en font foi ses lapsus répétés. Cette femme ne s'est pas d'abord trouvée aux prises avec une perte à venir (la mort physique de son père), mais avec des pertes présentes ("Mon père ne m'écoute plus"), ainsi qu'avec la perte de projets ("Je vais annuler les vacances que je projetais pour cet été avec mes parents").

C'est pourquoi nous préférons parler de *deuil avant la mort* plutôt que de *deuil anticipé*, puisque ce travail de deuil porte autant sur les pertes déjà encourues ou en train de survenir que sur les pertes appréhendées.

LES ÉTAPES DU DEUIL AVANT LA PERTE

On peut distinguer trois groupes d'émotions dans le deuil avant le décès (Rolland, 1991). D'abord les émotions difficiles, comme l'angoisse de séparation, la solitude, la tristesse, la colère, l'épuisement et le désespoir.

Ensuite les émotions nourrissantes comme le sentiment que la vie est précieuse, l'intimité, les plaisirs quotidiens et l'espoir.

Enfin, l'ambivalence à l'endroit du mourant, c'est-à-dire le fait d'éprouver simultanément le désir de se rapprocher de lui et le désir d'échapper par sa mort à la situation pénible.

Cette ambivalence peut se traduire par un va-et-vient entre la négation, où l'on traite le sujet comme s'il n'était pas menacé de mort, et le fait de se comporter comme s'il était déjà mort.

Ces trois groupes d'émotions fluctuent tout au long de l'expérience de la perte, dans laquelle on peut distinguer trois étapes. D'abord le diagnostic initial, où la famille se trouve confrontée à la fois à la perte de la vie *normale* d'avant le diagnostic, et à la perte à venir par le déclin de l'autonomie et par la mort.

Ce diagnostic peut comporter un degré variable d'incertitude. Par exemple, la frontière n'est pas toujours claire entre un cancer guéri et un cancer en rémission; pensons aussi au diagnostic d'un premier infarctus où le médecin prédit qu'un deuxième serait plus critique.

La deuxième étape est la phase intermédiaire, où la vie continue tout en n'étant plus la même, et où l'inquiétude et la fatigue amènent les proches à souhaiter que tout finisse au plus vite, avec la dose de honte et de culpabilité consécutive à ces pensées.

Il y a enfin la phase terminale, où le souci des proches se porte davantage sur la qualité de vie du mourant et sur sa souffrance physique et morale. À cette étape, on vit *vingt-quatre heures à la fois*, et on est souvent aux prises avec ses résistances à laisser partir l'être cher.

LE DÉTACHEMENT PRÉMATURÉ

On a vu comment le travail de deuil est un processus de désinvestissement affectif et de réorganisation. S'il est mené à terme, le deuil avant le décès peut donc mener à un détachement prématuré à l'endroit du mourant, qui se sentira alors abandonné à sa solitude.

À la suite du décès, l'absence de réactions de deuil pourra surprendre le survivant, ou même lui attirer une certaine réprobation de la part de son entourage, qui s'attend à ce qu'on ait de la peine lorsqu'on perd un proche.

Le détachement prématuré est un phénomène fréquent, bien qu'on ne doive pas confondre le détachement qui survient à cause du travail de deuil, et la fuite, qui tente d'éviter ce travail. Mais s'il est bien mené, ce travail de deuil est au contraire de nature à augmenter la qualité de la relation avec le mourant.

Le détachement et la présence, en effet, ne s'excluent pas nécessairement. La démarche de deuil avant le décès amène le sujet à être suffisamment dégagé de sa détresse, de sa révolte ou de sa peine pour vivre d'une façon sereine les dernières étapes de son accompagnement. Le fait qu'une partie du deuil ait été vécue est ainsi de nature à faciliter une relation plus dégagée, plus transparente et plus intense avec le mourant.

LA DURÉE OPTIMALE DU DEUIL AVANT LE DÉCÈS

De multiples recherches tendent à montrer que le deuil postérieur au décès se trouve facilité par la présence d'une certaine période de préparation au décès (Rando, 1986). Mais une dizaine d'autres recherches n'ont pas trouvé de lien entre la présence de cette période de préparation et la qualité du deuil postérieur (Dessonville Hill et coll., 1988).

D'autres études arrivent à la conclusion que plus la période de maladie menant au décès est longue, plus le deuil consécutif risque d'être difficile. Ceci pourrait s'expliquer par le fait que les bénéfices du deuil avant le décès ont été annulés par le stress provoqué par une longue maladie, de même que par l'isolement des proches centrés sur l'accompagnement du mourant.

Deux études rapportent ainsi que les survivants d'une personne emportée par une maladie plutôt courte ou plutôt longue connaissaient un deuil plus difficile que dans le cas d'une maladie de durée moyenne. Dans la trajectoire courte, les survivants n'avaient pas le temps de *voir venir* et de s'ajuster aux différentes pertes en cause, tandis que le stress vécu dans le cas de la trajectoire longue se traduisait par une forte quantité de colère et d'hostilité qui interférait avec le travail de deuil (Rando, 1983 et Sanders, 1983).

Ceci expliquerait les résultats contradictoires des recherches, mais bien d'autres facteurs que la durée de la maladie interviennent dans le deuil avant le décès. Mentionnons entre autres: le fait que le proche soit en même temps la personne-soutien du mourant, et dans ce cas, la quantité et le type de soins en cause, l'âge et l'état de santé du proche, le type de communication qui existe entre lui et le mourant, l'attitude du mourant face à sa situation, les relations du proche avec son réseau de soutien...

QUELQUES ENJEUX

La facilitation du deuil avant le décès recèle des enjeux majeurs. Dans la mesure où ce deuil a pu être assumé au moins partiellement, la qualité de l'accompagnement du mourant par ses proches s'en trouvera accrue, et le parcours de deuil après le décès s'en trouvera facilité également pour ces derniers.

Nous formulerons donc quelques points de repère à l'intention des personnes qui sont en position d'intervenir dans ce sens, en nous inspirant en partie de Rando (1986).

Tout d'abord, il est bon d'explorer la façon dont les proches ont composé dans le passé avec différentes situations de pertes: maladies, divorces, décès... Etant donné que les deuils non résolus risquent d'être réactivés par la situation présente, le fait d'aider les proches à reconnaître leurs pertes antérieures et à se situer par rapport à celles-ci sera donc de nature à leur permettre de mieux faire face à la perte actuelle.

LA CULPABILITÉ

La culpabilité peut être déclenchée par l'hostilité éprouvée par le sujet à l'endroit du mourant, soit à cause des demandes que ce dernier lui fait ou à cause de son irritabilité.

Cette culpabilité peut aussi provenir des souhaits formulés secrètement par le sujet à propos de la mort du proche qu'il accompagne, et qui le délivrerait du stress associé à cette démarche.

On peut aider le sujet, d'abord en le rassurant sur le caractère normal de ces sentiments, qui n'ont pas de conséquence tant qu'ils ne débouchent pas sur des représailles à l'endroit du mourant. Le sujet pourra se sentir rassuré aussi si on lui montre que son hostilité peut cohabiter avec des sentiments d'attachement à l'endroit du mourant.

Il arrive que le sujet réagisse à sa culpabilité en redoublant de zèle pour le mourant, ce qui pourra l'amener à dépasser ses limites d'énergie, et donc à se sentir plus hostile ...et plus coupable encore. Lorsque cela se produit, on pourra l'aider à prendre conscience du phénomène et à se réajuster en conséquence.

LA PEINE

Le fait de se sentir habité par un immense chagrin est souvent une expérience menaçante qui peut amener le sujet à éviter le contact avec le mourant, ce qui augmentera d'autant la solitude de ce dernier.

Encore ici, on doit dédramatiser cette peur, par exemple en remplaçant l'expression «J'ai peur de perdre le contrôle» par l'expression «J'ai peur de me laisser vivre ma peine», ou «Je suis complètement à l'envers» par «Tu vis des sentiments intenses».

La peine et les autres sentiments sont plus difficiles à exprimer quand le mourant est lui-même au stade de l'acceptation, comme l'illustre l'exemple suivant: «Je voyais mon mari souffrir et accepter ses traitements sans jamais se plaindre ou se révolter. Alors moi, je n'avais pas le droit de me laisser aller à mon chagrin, mon désespoir, ma révolte. J'ai essayé de faire preuve de courage.»

On peut alors faire comprendre au sujet que le fait de se retenir intensifie ses tensions, et l'inviter à exprimer à un confident tout ce que la situation présente lui fait vivre.

L'HOSTILITÉ

La colère, qui est une réaction instinctive à toute perte, se trouve souvent dirigée vers les soignants, à qui on a mille reproches à faire, mais elle peut viser le mourant lui-même et se traduire alors par des paroles ou des comportements de rejet, viser les autres membres de la famille, ou encore être tournée contre soi-même, et se traduire alors en culpabilité et en dévalorisation de soi.

On peut aider le sujet à prendre contact avec sa colère, à la comprendre et la légitimer, et à trouver des façons de la ventiler, que ce soit en frappant un coussin, en criant (dans un endroit désert!) tous les jurons et tous les mots tabous auxquels il peut penser, ou en se livrant à une activité physique appropriée.

La colère peut parfois cacher d'autres sentiments comme la peine, la peur, l'impuissance ou la culpabilité, tout comme elle peut être provoquée par des comportements difficiles ou des demandes irréalistes de la part du mourant, ou par des maladresses ou des attitudes déplacées de la part des soignants. On doit donc tout d'abord aider le sujet à bien identifier ce qui se passe, avant de le sensibiliser à des façons appropriées de réagir.

L'ANXIÉTÉ

Voir un proche cheminer vers sa mort est une expérience anxiogène, étant donné les multiples menaces associées à cette mort: solitude et vulnérabilité appréhendées par le survivant, peur de l'inconnu consécutif au bouleversement de ses horizons familiers, insécurité financière, réactivation de traumatismes reliés à des pertes antérieures, anxiété face à sa propre mortalité...

On peut donc aider le sujet à contacter son anxiété et à explorer les différents visages qu'elle prend pour lui. Cette démarche aura normalement pour effet de transformer le sentiment d'anxiété en peurs plus précises, auxquelles le sujet sera alors plus en mesure de faire face.

Une peur est en effet plus menaçante et plus corrosive quand elle n'a pas été identifiée, et le simple fait de la verbaliser et de l'examiner au grand jour a souvent pour effet de la dédramatiser substantiellement. Il ne s'agit pas là d'une recette magique, et le sujet aura souvent besoin d'être accompagné le temps qu'il faut dans l'apprivoisement de ses peurs.

ILLUSTRATIONS

L'accompagnement de deuil conventionnel constitue en bonne partie une intervention de crise, surtout dans les premiers jours et les premières semaines suivant le décès. Mais la chose est aussi vraie pour l'accompagnement de deuil avant le décès.

Le temps est limité, le climat est souvent chargé, et les tâches qui attendent le sujet sont à la fois nombreuses et complexes. Voilà autant de raisons qui rendent précieuse la présence d'intervenants attentifs, comme l'illustrent les extraits suivants.

Une infirmière vient donner des soins à une femme atteinte d'un cancer en phase terminale et qui a été accueillie chez sa fille. Celle-ci est debout, les bras croisés, et regarde le plancher. L'infirmière lui prend les deux bras en les serrant doucement.

Infirmière: Manon, je te sens songeuse. Ça ne va pas?

Manon: (silence - se met à pleurer - s'asseoit lentement)

Infirmière: (silence, garde un contact physique)

Manon: Comme c'est dur de voir maman dépérir de jour en jour. Je ne sais plus quoi faire.

Infirmière: Tu te sens impuissante...

Manon: Impuissante, c'est ça. Je fais tout ce que je peux, mais si ça continue comme ça, elle ne passera pas au travers.

Infirmière: Qu'est-ce que ça te fait, de me dire qu'elle ne passera pas au travers?

Manon: C'est dur. Je pense qu'elle n'en a plus pour longtemps.

Infirmière: Je comprends, tu trouves ça pénible de penser qu'elle va te quitter bientôt et pour toujours.

Manon: Oui, moi qui me pensais forte, je me sens démunie devant l'inévitable...

Infirmière: (silence)

Manon: Je voudrais la garder le plus longtemps possible, mais je ne veux plus la voir souffrir. Ça fait trop mal.

Infirmière: Je te comprends, c'est difficile de voir souffrir quelqu'un qu'on aime.

Manon: (grand soupir) Ça fait du bien de parler. Depuis quelques jours, je me sentais envahie par toutes sortes d'émotions et je n'avais personne à qui parler.

(de sa chambre, la mère demande à Manon si c'est l'infirmière qui est arrivée)

Manon: Est-ce qu'on peut continuer notre conversation lors de ta prochaine visite?

Ces interactions n'ont duré que quelques minutes, et l'infirmière s'est ensuite centrée sur la mourante. Mais son intervention auprès de la fille ont été à la fois très humaines et très professionnelles. L'exemple suivant, qui survient dans un centre de soins de longue durée, met en lumière une performance analogue.

Je rencontre Madame Luce, la fille d'une bénéficiaire, pour m'entretenir avec elle d'une suite de malentendus entre elle et le personnel soignant, envers qui elle a eu des paroles très dures.

Infirmière: Votre mère est traitée pour une infection urinaire.

Fille: (les bras croisés, l'air déterminé) - Vous ne la faites pas boire! Le problème, c'est de la faire boire.

Infirmière: Vous avez raison. J'aimerais vous raconter ses habitudes et ses besoins, et voir comment on peut collaborer ensemble.

Fille: (se détend, baisse les bras) Le plus tôt possible. Depuis son arrivée, j'ai été forcée d'argumenter pour tous ses besoins. J'aimerais que ce soit clair.

Infirmière: Est-ce que vous connaissez le milieu gériatrique?

Fille: Non, ma mère arrive de chez nous. Je m'en suis occupée durant cinq ans. Depuis qu'elle est ici, elle dépérit.

Infirmière: Je vous sens inquiète de son bien-être ici.

Fille: Oui, elle a 86 ans. Je sais qu'elle va mourir, mais je ne veux pas qu'elle souffre jusque-là. Je ne trouve pas qu'elle a des soins appropriés.

Infirmière: J'aimerais vous parler des soins qu'on lui donne. Je comprends votre inquiétude. Je pense qu'on pourrait collaborer ensemble à sa qualité de vie.

Fille: Oui, vous êtes la première qui me parle de cette façon. Ça me fait du bien (elle a les yeux brillants et embrasse fréquemment sa mère). Bon, je vais la faire manger.

Ces deux exemples illustrent la pertinence des interventions que l'on peut réaliser pour faciliter le cheminement des proches.

CHAPITRE 8

Survivre à un conjoint

Puisque peu d'entre eux mourront en même temps, un conjoint sur deux fera un jour l'expérience du veuvage, et cet état durera en moyenne quatorze ans pour la femme, et sept ans pour l'homme (selon des statistiques américaines).

L'IMPACT SUR LA SANTÉ ET LA MORTALITÉ

Les conclusions des recherches convergent: durant les premiers mois qui suivent le décès de leur conjoint, les veufs et les veuves meurent d'avantage que les sujets mariés de même âge, et ce phénomène est plus marqué pour les hommes.

Cette différence s'étend aussi au niveau de santé: «Que l'on regarde le taux de désordres psychiatriques, de maladies physiques ou de mortalité, les comparaisons sont typiquement au désavantage des endeuillés par rapport aux sujets mariés.» (Stroebe et Stroebe, 1987).

Ces résultats sont confirmés par une étude québécoise auprès de 795 sujets montréalais: ce sont les sujets fortement endeuillés qui sont le plus à risque au plan des problèmes de santé physique et mentale, tandis que le fait de vivre en couple et d'être satisfait de cette situation aurait au contraire une valeur immunitaire (Bozzini et Tessier, 1989).

Cette étude présente l'avantage de faire ressortir la dimension subjective de l'expérience du deuil: plus que le simple fait de vivre en couple, c'est la satisfaction conjugale qui serait immunitaire, et réciproquement, plus que le deuil comme tel, c'est l'intensité de celui-ci qui serait problématique pour la santé.

L'ensemble des recherches indiquent cependant que passé l'échéance critique des six premiers mois, les taux de morbidité et de mortalité redeviennent comparables. On a aussi vu au début du chapitre 2 qu'une recherche sur un très gros échantillon suivi pendant dix ans n'a trouvé que des différences négligeables entre les veufs et les veuves et les sujets mariés.

L'ensemble de ces recherches démontrent que s'il ne faut pas méconnaître les risques à court terme du veuvage, il ne faut pas les exagérer non plus. Dans la ligne du modèle de deuil en trois phases, la majorité des sujets s'en sortent bien.

HOMMES ET FEMMES FACE AU VEUVAGE

Plusieurs recherches donnent à penser que les hommes seraient plus à risque que les femmes, après la mort du conjoint. Un des facteurs en cause résiderait dans la qualité des réseaux de soutien des sujets. Les hommes étant peu socialisés à exprimer leurs difficultés et leurs besoins, ils seraient moins portés à se prévaloir du soutien de leurs proches, ce qui se traduirait par une plus grande vulnérabilité à la maladie due à l'accumulation du stress, de même que par des taux plus élevés de suicide (Ferraro, 1989).

Des entretiens en profondeur auprès de 20 veufs confirment cette hypothèse: la majorité des sujets souffraient et en étaient conscients, mais ils ne faisaient pas de démarche pour demander de l'aide (Brabant et coll., 1992).

Cette tendance des hommes à se débrouiller seuls est si forte que leur refus de participer à des recherches sur le deuil frôle parfois les cinquante pour cent. C'est ce qui amène des chercheurs à croire que ce sont les hommes les moins déprimés qui acceptent de participer, tandis que ce sont au contraire les femmes les plus déprimées qui se prévalent de cette chance (Stroebe et coll., 1988). Ce phénomène pourrait expliquer pourquoi certaines recherches concluent que les hommes semblent mieux se tirer d'affaire que les femmes!

Une équipe américaine a étudié un échantillon national de 3 614 sujets et a découvert que le stress consécutif au deuil variait selon le sexe, les veufs réagissant plus mal aux tâches domestiques, et les veuves étant plus affectées par les soucis financiers (Umberson et coll., 1992).

Compte tenu du fait que l'impact physique du deuil se résorbe dans les premiers mois, la différence hommes-femmes dans l'ensemble de l'expérience du deuil n'est pas évidente (Demi, 1989 et Martin Matthews, 1991). Il faut donc prendre garde aux stéréotypes et se faire attentif aux besoins précis de l'endeuillé que l'on a devant soi. (Pour un examen des enjeux des différents types de pertes vécus par des hommes, voir Staudacher, 1991).

LES RÔLES NOUVEAUX

La sociologue Helena Lopata a joué un rôle de pionnière dans l'étude du veuvage, à partir notamment de ses entrevues de deux groupes d'un millier de veuves chacun, réalisées dans la région de Chicago autour des années soixante-dix.

Le système conjugal implique selon elle une étroite interdépendance entre les conjoints, que ce soit aux plans matériel, financier, social ou affectif. La mort vient perturber non seulement le lien qui unissait le survivant à son conjoint, mais aussi l'ensemble de ses liens avec son milieu environnant.

Par exemple, le veuf se trouve atteint dans son rôle d'époux. Cela signifie entre autres que ses relations avec sa belle-famille s'en trouveront modifiées, de même que ses relations avec les amies de sa femme, et avec les gens avec lesquels ils avaient auparavant des relations de couple.

Mais son rôle de père changera également. Pensons à une famille où l'essentiel des contacts entre le père et ses enfants mariés se déroulaient autour du repas du dimanche préparé par la mère. Ou pensons à la famille où les nouvelles des enfants et des petits-enfants étaient transmises au père par la mère qui servait de confidente.

Pour réaménager son rôle de père, ce veuf devra donc inventer des comportements nouveaux. Et ce qu'on a dit pour son rôle de père s'appliquer aussi à ses autres rôles: voisin, membre de l'Âge d'or ou d'autres groupements, paroissien...

CINQ PROFILS DE VEUVES

Le problème majeur rapporté par les veuves interviewées survenait après les premières étapes du travail de deuil, quand venait le temps de se rebâtir une identité nouvelle à partir du réaménagement de leurs différents rôles. Lopata (1975) esquisse à ce sujet différents profils que nous camperons brièvement en les caractérisant par des expressions de notre crû.

La veuve en peine

Certaines veuves ne réussissent pas à terminer leur travail de deuil et à s'engager dans de nouvelles relations. Elles ont tendance à s'isoler et à devenir amères, ce qui contribue à les couper davantage des personnes qui seraient disposées à les inclure dans leur réseau social.

On retrouve ici la dynamique du deuil chronique, où le sujet demeure prisonnier de sa peine ou de sa colère. Certaines femmes en viennent ainsi à s'installer dans ce statut de veuve malheureuse comme dans un refuge.

La veuve qui s'isole

Contrairement aux veuves du profil précédent qui vivent une détresse ouverte, les veuves du deuxième profil réussissent à contrôler leur peine, mais tout en demeurant ambivalentes face à leur nouveau statut.

Par exemple, ces femmes ne se permettront pas d'entrer en contact avec un homme qui pourrait les intéresser et ne se hasarderont pas hors de leurs rôles traditionnels de mère, de grand-mère, de maîtresse de maison...

Mais en même temps qu'elles se retirent et se protègent, ces femmes se sentent prisonnières des limites qu'elles s'imposent plus ou moins consciemment. Elles vieillissent donc difficilement, dans un climat de peur et d'hostilité voilées.

La veuve traditionnelle

Plusieurs veuves demeurent engagées dans leurs rôles traditionnels, se consacrant au bien-être de leurs enfants et petits-enfants et maintenant souvent des liens avec leurs frères et soeurs. Leur univers demeure cependant limité à la proche parenté, dont elles dépendent pour la satisfaction de leurs besoins affectifs et matériels.

Dans une recherche auprès de 600 veufs et veuves de la ville de Québec, Stryckman (1986) a observé chez un certain nombre d'entre eux cette attitude *familiste*, consistant dans l'affirmation par le veuf ou la veuve de la responsabilité des enfants adultes à son endroit, manifestée par des attentes fermes concernant par exemple la proximité des résidences, et la régularité des contacts.

Mais cette attitude n'est pas associée à un bon taux de satisfaction face à la vie, et l'auteure note qu'elle est le fait de sujets qui ont «réagi à la perte de leur rôle de conjoint en se cramponnant aux autres dimensions de leurs rôles familiaux à l'exclusion de toute autre possibilité.» Nous reviendrons plus bas sur ce phénomène.

La veuve qui travaille à l'extérieur

Ce profil regroupe les femmes qui ont toujours travaillé ou qui sont retournées sur le marché du travail après avoir élevé leurs enfants. Dans les meilleurs cas, il s'agira d'emplois bien rémunérés et intéressants. Même dans le cas contraire, ces femmes retireront des gains secondaires de leur travail, comme la structuration temporelle de leur univers, les relations avec d'autres personnes, le plaisir de sortir de la maison...

La veuve active

Alors que plusieurs n'acceptent pas de ne pas pouvoir refaire leur vie avec un autre homme, ou de se sentir exclues par leurs amies encore mariées, les veuves de notre dernier profil se sont bien ajustées à leur situation. Elles sont indépendantes et ont conservé leur cercle d'amies ou s'en sont constitué un nouveau, suite au décès de leur conjoint.

Ces femmes *libérées* ont des niveaux d'instruction et des ressources financières variables, et leurs intérêts gravitent autour du bingo hebdomadaire et des voyages organisés comme autour d'activités plus diversifiées. Mais elles ont en commun le fait de se sentir indépendantes et relativement bien dans leur peau, un peu comme des femmes divorcées qui auraient bien franchi cette transition.

UNE ILLUSTRATION

Examinons le témoignage suivant: «Ma belle-mère est veuve depuis vingt-quatre ans. Depuis le décès de son mari, elle s'est retirée de la vie sociale, et vit dans l'attente d'un appel ou d'une visite de ses enfants. Elle ne prend aucune décision sans se référer à ces derniers et elle est souvent triste et aigrie. Elle ne s'est jamais permis de regarder un autre homme et même si elle donne l'image d'une femme autonome, elle a très peu confiance en elle.»

Doit-on classer cette femme dans le premier ou le deuxième profil? Il n'est pas facile de trancher, ce qui met en lumière le fait que les cinq profils se situent sur un continuum allant du deuil bloqué au deuil terminé. Un sujet donné peut donc appartenir en partie à deux profils à la fois, selon l'endroit où on le situe sur ce continuum.

LE VEUVAGE COMME EXPÉRIENCE DE CHANGEMENT

On a vu plus haut que quelques années après le décès du conjoint, plusieurs indicateurs psychologiques démontrent que les veufs et les veuves redeviennent comparables aux sujets mariés. On peut présumer de ce fait que les veufs et les veuves retournent à leur niveau antérieur de fonctionnement.

Mais en même temps, plusieurs d'entre eux estiment que leur expérience les a changés. Dans l'étude de Lopata, plus de la moitié des veuves rapportent avoir changé depuis la mort de leur mari, et seulement 20% évaluent ce changement comme négatif, les autres mentionnant la plus grande indépendance dont elles jouissent maintenant.

Une sociologue a fait des constatations analogues dans sa recherche auprès des veuves ontariennes. 57% de ces femmes disent que l'expérience du veuvage les a changées personnellement, et la plupart interprètent ces changements comme positifs: elles se sentent plus indépendantes, plus réfléchies, plus capables d'apprécier les gens et la vie, plus décidées tout en étant plus compréhensives face aux autres (Martin Matthews, 1991).

LA QUESTION DE LA SOLITUDE

La solitude vécue par une personne qui a perdu son conjoint peut prendre différents visages. Elle peut éprouver le manque d'un partenaire sexuel, d'un ami et d'un confident, ou d'un partenaire avec qui elle planifiait ses activités. Elle peut encore ressentir l'absence d'une escorte pour ses sorties, ou d'une présence qui lui servait simplement à structurer son temps et son espace, autour de qui elle organisait ses routines quotidiennes (Lopata, 1987).

Une revue des recherches sur le sujet conclut que moins de 25% des personnes âgées souffriraient de solitude, et que ces sujets se recruteraient surtout chez les veufs et les veuves, chez les personnes qui se reconnaissent une mauvaise santé, et chez celles qui éprouvent un niveau élevé d'insatisfaction à l'endroit de l'ensemble de leur vie (Beaupré et De Grâce, 1986).

Détail intéressant relevé par les deux auteurs québécois: "La plupart des chercheurs observent que les contacts avec la famille ont peu ou pas d'influence sur la solitude", qui est surtout atténuée par les contacts avec les ami-e-s. Ceci s'explique par le fait que les liens avec les parents âgés prennent souvent une teinte d'obligation d'où sont absents le respect et la chaleur.

La présence active des enfants est probablement cruciale dans les semaines et les premiers mois suivant le décès, mais cette forme de soutien pourrait perdre de son importance par la suite, au profit de la présence des ami-e-s. Il semble aussi que les endeuillés retirent beaucoup de soutien de leurs frères et soeurs, et ceci, même si les contacts entre eux peuvent être plus espacés.

Dans beaucoup de cas également, les neveux et nièces peuvent constituer un apport précieux dans le réseau de soutien. Enfin, beaucoup de veufs et de veuves continuent d'être nourris par la mémoire de leur conjoint défunt, lorsque leur couple était caractérisé par le respect mutuel.

Si la solitude est un problème réel chez un certain nombre de veufs et de veuves, il faut donc éviter le stéréotype voulant qu'être veuf ou veuve, c'est nécessairement souffrir de solitude. S'il faut en croire les études, la majorité d'entre eux n'en souffriraient que d'une façon occasionnelle, pareils en cela à l'ensemble de la population, jeunes ou vieux, mariés ou célibataires.

FACTEURS DE RÉUSSITE

Quels sont les facteurs associés à la résolution du deuil? Lund et ses collègues (1993) ont suivi à cet effet pendant onze ans près de 200 veufs et veuves, ainsi qu'une centaine de sujets mariés, et ils ont également suivi plus de 500 sujets dans une autre étude. D'après les données recueillies, les facteurs qui sont le plus étroitement associés à une bonne résolution du deuil sont les suivants.

1. LE PASSAGE DU TEMPS. Les chercheurs notent que les scores sur les échelles de bien-être augmentent systématiquement d'une étape à l'autre de la recherche. Ils expliquent ces résultats par le fait que les différents défis reliés au deuil émergent au fil du temps, et que l'endeuillé a besoin de

temps pour les identifier et développer des stratégies destinées à les relever.

2. UN AJUSTEMENT EN DÉBUT DE DEUIL. Des difficultés
particulières dans le premier mois du deuil
(comme le désir de mourir, par exemple) étaient
associées à une absence de résolution du deuil au
bout de deux ans, alors qu'un bon départ annon-
çait une bonne résolution.

3. LA CAPACITÉ DE COMMUNIQUER. Les sujets portés à
partager leurs idées et leurs sentiments reliés au
deuil avaient plus de chances de connaître une résolution positive à plus long terme.

4. L'ESTIME DE SOI. Les endeuillés dotés d'une
bonne estime de soi n'acceptaient pas de ne pas
progresser dans leur deuil, et s'employaient à trouver des moyens de surmonter leurs difficultés. A
l'inverse, ceux qui avaient une moins bonne estime
de soi étaient portés à croire qu'ils ne pouvaient
faire autrement.

5. LES COMPÉTENCES PERSONNELLES. Enfin, les sujets les plus avancés dans leur deuil au terme de
deux ans étaient ceux qui étaient capables d'identifier et de mettre en oeuvre les ressources nécessaires pour les aider à relever les défis de leur vie
quotidienne.

Cette description met en lumière le rôle déter-
minant des ressources personnelles dans le déroulement du deuil. Ce sont donc les sujets les

plus démunis à cet égard que l'on doit aider à mobiliser leurs ressources et que l'on doit soutenir
dans cet effort.

CHAPITRE 9

Perdre un enfant

La relation parent-enfant est la plus complexe et la plus persistante des relations humaines, la plus chargée à la fois de responsabilités et de gratuité, et la plus sujette aussi aux ambivalences.

Les parents s'identifient très tôt et pour toujours à leur enfant, ses succès devenant les leurs, et ses échecs aussi. Leurs enfants représentent un peu l'occasion de réparer les erreurs que leurs propres parents ont commises à leur endroit, ou de réaliser les rêves qu'ils n'ont pu atteindre eux-mêmes.

Si les parents doivent apprendre à se détacher de leurs enfants, ce détachement n'est jamais total. C'est ce qui explique que les parents qui perdent un enfant se sentent amputés d'une partie d'eux-mêmes.

C'est pourquoi aussi les recherches cliniques tendent à trouver des symptômes plus importants et plus persistants dans le cas de la perte d'un enfant que d'un parent ou d'un conjoint (Leahy, 1993). Et ce qui vaut pour la perte d'un enfant en bas âge semble vrai aussi pour celle d'un enfant adulte (Rando, 1992).

CE QUI EST PERDU

Le décès d'un enfant entraîne de multiples pertes, que l'on peut regrouper dans quatre catégories. Les nombreux rôles associés au statut de parent, d'abord: rôles de protecteur, de pourvoyeur, d'éducateur, de conseiller, de compagnon de jeu ou de sortie...

Ces rôles structuraient l'horaire et les comportements quotidiens du parent. Mais en plus de sa routine quotidienne, c'est aussi son identité qui s'en trouve ébranlée, car ces rôles occupaient une place centrale dans son image de soi.

L'instinct de reproduction et l'instinct de conservation de la vie se combinent pour amener les parents à consacrer beaucoup d'eux-mêmes à leur *investissement génétique*, dans le but d'en arriver à former un humain adulte, autonome et heureux. La mort de l'enfant vient consacrer la faillite de cet investissement, ce qui représente un deuxième type de perte.

La troisième catégorie, qui est liée à ce qui précède, consiste dans la perte des attentes et des espoirs. Des mères disaient ainsi devoir faire leur deuil «de ce que leur enfant n'allait plus pouvoir faire», que ce soit en termes de joies à connaître ou de projets à réaliser (Edelstein, 1984).

Les mères qui avaient des relations problématiques avec leur enfant avaient quant à elles un deuil supplémentaire à vivre, soit le fait de ne pas avoir été capables d'établir une relation harmonieuse avec leur enfant dans le passé et le fait qu'elles ne pourraient plus résoudre ces problèmes dans l'avenir.

La quatrième catégorie de pertes est celle des illusions. L'une des croyances habituelles des parents est qu'ils sont en pratique à l'abri des tragédies, et que celles-ci n'arrivent qu'aux autres, ou encore que la vie est logique et cohérente et qu'elle paye toujours de retour.

Une mère en deuil disait ainsi: «Nous étions jeunes et nous nous croyions à l'abri du malheur... Notre insouciance et notre arrogance ont disparu à jamais.» (Mills, 1988).

La crise existentielle provoquée par la mort d'un enfant n'a pas toujours pour effet de faire sombrer les parents dans l'amertume ou la révolte. Certains abandonneront leurs croyances religieuses et risqueront de devenir insécures et cyniques. D'autres verront leur foi religieuse approfondie, et s'en sortiront plus convaincus encore que les humains font partie d'un plan d'ensemble dont la sagesse ne leur échappe que provisoirement.

D'autres encore, atteints dans leur sentiment de compétence comme parents, trouveront de nouvelles façons d'exprimer cette compétence, quitte à reformuler leurs croyances et à revoir leurs priorités (Klass, 1988).

TROIS PROFILS D'AJUSTEMENT

Suite au décès de son enfant, le parent doit donc «se bâtir une nouvelle vie à partir d'une image de soi diminuée et dans un univers appauvri» (Klass, 1989). Pour observer les stratégies à long terme mises en oeuvre pour assumer ce défi, des chercheurs ont interviewé une cinquantaine de familles qui avaient perdu un enfant de sept à neuf ans auparavant (McClowry et coll., 1987).

Même après cette période, plusieurs sujets continuaient d'exprimer des sentiments de perte et de souffrance. Les chercheurs ont dégagé trois stratégies d'ajustement à ce sentiment de vide, soit essayer d'en finir, remplir le vide, et garder le contact.

ESSAYER D'EN FINIR. Les sujets qui avaient utilisé cette stratégie avaient des souvenirs beaucoup moins forts que ceux des sujets des deux autres groupes, et leur deuil semblait terminé.

Leur stratégie semblait terre-à-terre. L'un des pères s'expliquait comme suit: «J'avais l'habitude de dire aux enfants: Il faut qu'on essaie de vivre une vie normale. Il faut tous mourir un jour, c'est une chose qui arrive.»

REMPLIR LE VIDE. Cette seconde stratégie consistait à se tenir occupé. Certains sujets avaient entrepris la construction d'une maison, d'autres avaient eu un autre enfant, tandis que d'autres encore s'étaient engagés dans une recherche spirituelle ou dans des causes humanitaires.

GARDER LE CONTACT. Les sujets pour qui le sentiment de la perte était le plus fort s'attachaient à leurs souvenirs du défunt, et avaient beaucoup d'histoires à raconter à son sujet.

Leur stratégie consistait à intégrer leur perte à leur vie quotidienne. Ils s'étaient réinvestis dans leur vie, mais ils continuaient de percevoir la relation perdue comme quelque chose d'irremplaçable: ils conservaient une dévotion discrète ou avouée à l'enfant disparu.

Il est tentant de conclure que le recours à cette troisième stratégie équivaut au refus de faire son deuil et de laisser aller l'enfant décédé. Mais certains sujets de ce groupe disaient avoir évolué au cours des ans, la perte les ayant amenés à apprécier davantage leurs autres relations, et à recevoir comme des cadeaux les événements de la vie quotidienne. Nous serions ainsi face à des deuils non terminés plutôt qu'en présence de deuils chroniques.

L'IMPACT SUR LE COUPLE

La mort d'un enfant envoie une onde de choc sur les conjoints, que leur deuil rend plus fragiles et plus irritables, et qui ont aussi moins d'énergie disponible pour leur partenaire. Comme le disait un parent endeuillé: «Il y a des moments où tu es à peine conscient de l'existence de l'autre à tes côtés.»

À un niveau plus profond, leur expérience d'arrachement vient les ébranler dans leurs autres attachements, et au premier chef dans leur lien conjugal. Chacun peut alors en venir à se protéger inconsciemment de son conjoint, comme s'il lui disait: «Je me retire parce que j'ai peur que tu m'abandonnes toi aussi.» Ou encore, il peut éprouver son partenaire, comme s'il lui disait: «Je me retire pour voir si tu vas m'abandonner toi aussi.»

Les parents ont par ailleurs plusieurs décisions à prendre suite au décès de leur enfant. Feront-ils des visites au cimetière, fleuriront-ils la tombe, conserveront-ils les vêtements et les possessions de l'enfant, maintiendront-ils leurs activités communes de loisir ou les suspendront-ils, et qu'en sera-t-il de leurs relations sexuelles?

L'incapacité de s'entendre sur ces questions peut augmenter leur ressentiment et leur isolement respectifs. Il pourra alors y avoir des choses qui seront faites ou qui seront dites et qui demeureront impardonnables pour longtemps.

Certaines recherches plus anciennes aboutissaient à des résultats sombres sur l'impact de la perte d'un enfant sur le couple, et on entend encore de tels propos de nos jours, comme le suivant: «On estime qu'environ trois couples sur quatre qui perdent un enfant se séparent.» (Mercier, 1994).

Mais peu de recherches récentes confirment ce phénomène (Rollins Bohannon, 1990). Plusieurs parents d'enfants décédés du cancer ont rapporté que leur couple ressortait plus fort de ce deuil, chacun ayant appris à s'appuyer sur les forces de son partenaire et à le respecter davantage dans son individualité (Foster et coll., 1981).

D'autres chercheurs concluent que les mariages qui n'ont pas duré n'ont pas été détruits par la mort de l'enfant comme telle, mais que les partenaires y ont mis un terme parce qu'ils sentaient qu'il n'y avait plus lieu de composer avec les fortes insatisfactions conjugales qui existaient antérieurement au décès (Klass, 1986-1987).

Une recherche auprès de 20 couples de parents endeuillés a fait ressortir les points de friction suivants (Schwab, 1992). La frustration des hommes provenait surtout de leur impuissance à soulager la détresse de leur conjointe, et celle des femmes était surtout provoquée par le refus de leur conjoint de partager leur peine, celui-ci préférant d'autres stratégies comme le fait de boire, de se tenir occupé, de se refermer sur lui-même...

Un certain nombre de sujets ont cependant vu leur frustration diminuer en réalisant que leur conjoint avait un style différent du leur, comme l'illustre la confidence suivante: «Au début, je réagissais très mal au silence de Georges. Je sentais qu'il n'était pas disponible au moment où j'avais besoin de lui. Mais avec le temps, j'ai réalisé qu'il vivait son deuil différemment du mien. Il ne parle pas beaucoup, et il prenait la mort de notre fille comme il prend ses autres problèmes. Je me suis donc dit qu'il souffrait autant que moi, sauf qu'il n'était pas capable de le dire.»

Mais lorsqu'un des conjoints réussissait à accueillir l'autre dans sa peine, cette expérience avait souvent un impact positif: «Une des nuits où on est resté debout, on a pleuré et on est resté dans les bras l'un de l'autre pour deux ou trois heures, juste à pleurer. À partir de ce moment-là, on a recommencé à se rapprocher l'un de l'autre.»

L'intimité sexuelle était souvent un autre point de friction. Les femmes étaient peu portées à désirer cette forme d'intimité, et comprenaient mal que leur mari veuille avoir une relation sexuelle dans ces circonstances. De leur côté, les hommes étaient portés à mal réagir au fait que leur conjointe les prive de ce moyen de réconfort dans une telle période de crise.

Enfin, l'irritabilité générale qui est une réaction fréquente de deuil n'arrangeait pas les choses. Tout pouvait devenir matière à conflit: la faible implication du conjoint pendant la maladie de l'enfant, le fait qu'il oublie les anniversaires, le partage des tâches domestiques et la façon dont celles-ci étaient exécutées...

En dépit de ces points conflictuels, d'autres études confirment ce qui ressort de la présente recherche: la progression dans le travail de deuil a souvent pour effet de ramener le couple au niveau d'harmonie qu'il connaissait avant la mort de l'enfant, voire à un niveau d'harmonie supérieur (Rollins Bohannon, 1990).

LES PÈRES SONT-ILS MOINS ATTEINTS QUE LES MÈRES?

On attribue souvent un investissement affectif plus intense à l'endroit de l'enfant de la part de la mère que du père. Cette croyance est-elle justifiée?

Des chercheurs ontariens ont demandé à 263 parents endeuillés d'évaluer l'intensité de leur deuil ainsi que de celui des autres membres de la famille sur une échelle en sept points allant de l'absence de deuil (point 1) à la dévastation totale (point 7). Or, les pères et les mères ont situé l'intensité du deuil de la mère pratiquement au même endroit, soit près du point 6, et celle du deuil du père au même endroit aussi, soit près du point 5. Cette recherche tend donc à confirmer la croyance populaire, de même que l'expérience de beaucoup d'intervenants (Littlefield et Rushton, 1986).

Il faut cependant tenir compte de l'influence de l'éducation sur les hommes qui vivent leur maturité dans les présentes années, eux qui ont appris tôt dans leur vie à être forts et à ne pas laisser leurs sentiments les empêcher d'être les protecteurs du *sexe faible*.

On a comparé les réactions de deuil des sujets constituant 33 couples, et on a trouvé là aussi une plus faible intensité des réactions de deuil des maris par rapport à celles des femmes et ceci, sur une période d'un an (Rollins Bohannon, 1990; voir aussi Lang et Gottlieb, 1993).

Mais dans la première étude, les maris avaient un score plus élevé sur l'échelle de la négation, ce qui pourrait bien sûr fausser les résultats attribuant de plus fortes réactions de deuil aux épouses.

Un autre indice va dans le même sens: même si le décès de l'enfant pouvait être survenu jusqu'à cinq ans avant la recherche, pendant la période d'un an sur laquelle l'étude a porté, les femmes exprimaient des niveaux de colère décroissants, tandis que les hommes affichaient des taux de colère croissants. Ces données indiqueraient une période de négation plus longue pour les hommes que pour les femmes.

Il est difficile de tirer une conclusion claire: les hommes sont davantage portés à sous-évaluer leurs réactions de deuil dans les questionnaires verbaux ou écrits, mais certaines recherches les montrent aussi susceptibles à la détresse que les femmes (Martinson et coll., 1991).

Enfin, lorsqu'on interroge les parents sur les stratégies qu'ils utilisent pour composer avec leur deuil (comme pleurer, se tenir occuper, recourir à la religion...), on retrouve davantage de similitudes que de différences selon le sexe (Schwab, 1990).

À la lumière des données actuelles, il est donc prudent de conclure que les différences de détail ne devraient pas masquer la similitude des défis que tout deuil pose à l'endeuillé, quel que soit son sexe, tout en gardant en tête les différences culturelles entre les hommes et les femmes, et surtout les nombreuses différences inter-individuelles susceptibles de survenir dans ce parcours.

LES PERTES PÉRI-NATALES

Les pertes péri-natales surviennent de multiples façons: avortements, qu'ils soient thérapeutiques ou non, fausses-couches, bébé mort-né ou qui meurt peu de temps après l'accouchement, bébé atteint de malformations graves, bébé confié à l'adoption...

Pour faciliter ce deuil, il faut beaucoup de tact et de respect pour déterminer ce qui peut être fait dans les circonstances, que ce soit dans la façon de préparer la mère à voir le bébé, dans la façon de manipuler le bébé, d'en parler et de souligner ses traits positifs, dans la suggestion faite aux parents de lui donner un nom, dans le fait d'impliquer le père dans ces moments difficiles, dans le fait de prendre une photo du bébé et de la remettre aux parents... (Fréchette-Piperni, 1992 et McColgan, 1989). Voici quelques suggestions additionnelles, inspirées de Schmidt (1987).

Tableau 3:   *En présence d'un parent en deuil*

À FAIRE	À ÉVITER
Dites que vous êtes touché par ce qui est arrivé à leur enfant et par leur propre douleur.	Ne dites pas que vous savez comment ils se sentent, à moins d'avoir vous-même perdu un enfant.

Permettez-leur d'exprimer toutes les émotions qu'ils veulent bien exprimer.	Evitez tout jugement, du genre: «Ça fait six mois maintenant, vous devriez vous sentir mieux.»
Encouragez-les à être patients envers eux-mêmes et à ne pas s'imposer trop de *il faut*.	Ne leur dites pas ce qu'ils devraient faire et comment ils devraient se sentir.
Permettez-leur de parler de l'enfant décédé autant qu'ils le veulent.	Ne changez pas de sujet quand ils parlent de leur enfant.
Parlez des qualités qui faisaient de cet enfant un être unique.	N'évitez pas de mentionner le nom de l'enfant de peur de faire revenir la douleur (elle est toujours là).
Manifestez de l'attention aux frères et soeurs survivants.	Ne dites pas aux parents qu'au moins, ils en ont d'autres (les enfants ne sont pas interchangeables).

Dans le cas d'un enfant mort-né, il est important de permettre à la mère de voir son enfant si elle le désire, pour faciliter le deuil subséquent. Le témoignage suivant est éclairant dans ce sens. «J'ai eu de la difficulté à réaliser que cela m'était vraiment arrivé parce que je n'ai vu mon enfant que quelques secondes quand il est venu au monde et je ne l'ai jamais revu par la suite. Le médecin me le déconseillait. Aujourd'hui je le regrette et j'exigerais de le voir. Je me suis souvent demandé par la suite si cela m'était bien arrivé. À chaque année, je pense à lui à sa fête. Il aurait 14 ans. La douleur s'en va mais on n'oublie jamais.»

LA CONSOLATION PAR L'INTÉRIORISATION DU LIEN

Il y a plusieurs années, Cantor (1978) formulait ces observations pénétrantes: «Les parents en deuil n'évoluent pas vers l'oubli, mais en direction d'un souvenir enrichi qui devient partie intégrante de leur personnalité. Le travail de deuil se trouve complété lorsque le défunt n'est plus perçu comme un absent dans un monde dépouillé, mais lorsqu'il en est venu à habiter paisiblement dans le coeur de l'endeuillé.» Ceci s'applique également à la perte d'un conjoint, de même qu'à celle d'un parent.

Un intervenant qui a cheminé pendant dix ans avec des groupes de parents endeuillés arrive à une conclusion semblable: à long terme, c'est la représentation intérieure que ceux-ci se font de leur enfant qui leur apporte le plus de consolation (Klass, 1989, 1993a, 1993b).

Cette représentation est constituée de l'ensemble des souvenirs et des sentiments reliés au défunt, et elle prend différentes formes. Il y a d'abord le fait de sentir la présence du défunt. Cette présence est à la fois vécue comme une réalité subjective et comme une réalité plus que subjective. Plusieurs parents diront ainsi: «Ne me dites pas que c'est juste dans ma tête.»

Il y a ensuite le fait de croire que le défunt ne vit pas seulement au ciel ou dans les souvenirs qu'on en garde, mais qu'il continue d'influencer sa vie. Un parent écrit ainsi dans un poème: «Mon garçon, ta courte vie est devenue notre force, à ta mère et à moi...»

Cette expérience peut s'accompagner de visions ou d'auditions, un phénomène qui serait courant. Il y a enfin le fait de tenter d'incorporer dans sa vie les qualités du défunt, comme sa confiance, sa gaieté, sa spontanéité, sa tendresse...

L'ÉVOLUTION DE LA REPRÉSENTATION INTÉRIEURE

La représentation intérieure évolue. Le souvenir de l'enfant défunt se fait d'abord par l'intermédiaire d'objets précis lui ayant appartenu. Par la suite, l'endeuillé se satisfait de savoir où se trouvent ces objets. Il n'est donc pas indiqué de se séparer des possessions du défunt peu de temps après sa mort, dans l'espoir d'en finir plus rapidement avec son deuil.

Après un certain temps, la mémoire de l'enfant défunt devient intégrée à la vision du monde du parent, qui a dû se confronter aux questions suivantes:

- quelles sont les lois qui régissent l'univers?

- où est-ce que je me situe et quel est mon pouvoir?

- comment est-ce que je me relie maintenant à mon enfant décédé?

- comment est-ce que je me relie à Dieu ou au sacré?

- quel est le sens de la mort de mon enfant et quel est désormais le sens de ma vie?

ENJEUX POUR L'INTERVENTION

L'élaboration de la représentation intérieure est une opération délicate et importante, et pour la faciliter, on peut se faire attentifs aux objectifs suivants.

1.   Légitimer le maintien du lien

Les développements qui précèdent impliquent une reformulation de l'approche classique du deuil, selon laquelle l'endeuillé doit se détacher affectivement du défunt pour se réinvestir dans de nouvelles relations. Nous avons d'ailleurs précisé à la fin du premier chapitre qu'une des tâches de l'endeuillé était de «développer une nouvelle relation avec le défunt.»

On ne doit pas conclure à la présence d'un deuil compliqué du simple fait que le défunt continue d'occuper une place évidente dans la vie de l'endeuillé. On pourra au contraire aider le parent à ne pas se surprendre de cette expérience, en lui expliquant que celle-ci est normale et fréquente.

2. Favoriser le support

Les parents en deuil recherchent dans leur entourage quelqu'un à qui exprimer l'amour qu'ils avaient pour leur enfant, de même que la colère, la culpabilité et la détresse associées à leur perte. Plus que de marques d'attention passagères, ils ont besoin d'exprimer l'intensité de ces sentiments à des proches qui sauront les écouter d'une façon permissive et accueillante.

Une telle écoute permettra au parent d'évoluer à son rythme d'un souvenir souffrant à un souvenir confortable. Et comme cette écoute ne va pas de soi, il faudra sensibiliser les proches à son importance, quitte au besoin à les aider à clarifier ce que cette démarche leur fait vivre et comment ils peuvent procéder pour offrir une meilleure écoute.

Par la qualité de cette écoute, les proches se trouveront à légitimer la détresse du parent et sa tendance à maintenir un lien avec son enfant, ne serait-ce qu'en en parlant d'une façon souffrante. C'est souvent l'incompréhension et l'insensibilité des proches qui forcent le parent à s'attacher davantage aux souvenirs physiques de son enfant.

3. Stimuler l'évolution de la représentation intérieure

Il importe de s'assurer que la représentation intérieure de l'enfant défunt évolue sainement. Sinon, le parent risque de momifier le défunt, c'est-à-dire de s'enfermer indéfiniment comme dans un sanctuaire dans un environnement rempli des possessions du défunt.

Pour stimuler cette évolution, Klass (1993a) suggère les questions suivantes:

–   qui est votre enfant, présentement, et où est-il?

–   comment gardez-vous contact avec lui?

–   quel rôle joue-t-il dans votre vie, maintenant?

Il semble que les endeuillés récents soient incapables de répondre clairement à ces questions, et qu'ils soient surtout aux prises avec l'absence de leur enfant. Ce n'est qu'avec le temps que la représentation intérieure en vient à se préciser, et que le contact nourrissant avec l'enfant en vient à s'établir, permettant au parent de s'investir dans les défis de son existence présente.

4.   Légitimer le retour de la joie de vivre

Certains parents résistent à laisser aller leur tristesse. Une mère disait: «Tout ce qui me reste de mon enfant, c'est ma tristesse. Si je laisse aller ça, c'est comme si je laissais partir mon enfant aussi.» Ceci illustre l'importance d'aider le parent à comprendre qu'il peut être heureux de nouveau sans porter atteinte à la mémoire de son enfant défunt.

Le fait de s'apercevoir qu'ils peuvent rire de bon coeur peut amener les parents à réaliser qu'ils peuvent survivre dans un univers qui s'est trouvé radicalement changé par la mort de leur enfant. On peut parfois intervenir délicatement pour faciliter cette transition.

5.   Être attentif aux facteurs de risque

On a vu plus haut qu'un des facteurs de risque était un entourage insensible qui refoule le parent dans sa solitude. Le suicide de l'enfant ajoute un risque, l'entourage devenant davantage porté à éviter le sujet avec le parent.

Les familles reconstituées représentent aussi un facteur de risque, dans la mesure où le nouveau conjoint n'a pas vécu d'attachement avec l'enfant décédé, et se trouve ainsi moins en mesure de partager avec son partenaire la représentation de cet enfant. Il en va de même pour les parents divorcés.

Enfin, dans la ligne des réflexions sur l'attachement qu'on a faites plus haut, un parent qui aurait eu un attachement anxieux et fusionnel avec son enfant se trouvera confronté à une tâche particulièrement difficile lors du décès de ce dernier. Pour ce parent, le souvenir de l'enfant risquera de demeurer longtemps une source de détresse et de désespoir plutôt qu'une source de consolation. Ce parent aura besoin d'une aide thérapeutique plus poussée.

CHAPITRE 10

L'enfant en deuil

Nous sommes parmi les premières générations de l'histoire où les enfants en bas âge perdent rarement un de leurs parents, et où les parents perdent rarement un de leurs enfants en bas âge. Cette situation contraste avec ce qui était vécu il y a quelques siècles à peine.

L'économiste Fourastié (1959) présente ainsi comme typique le cas d'un Français de la fin du XVIIe siècle: né dans une famille de cinq enfants dont seulement la moitié atteindront l'âge de 15 ans, il se marie pour la première fois à 27 ans et aura cinq enfants à son tour, dont la moitié seulement seront encore en vie lorsqu'il mourra lui-même à 52 ans.

Cet homme aura ainsi vu la mort frapper huit ou neuf fois dans sa famille immédiate, soit une fois dans le cas d'un grand-parent (les trois autres étant morts avant sa naissance), deux fois dans le cas de ses parents, deux ou trois fois dans le cas de ses frères et soeurs, et deux ou trois fois dans le cas de ses enfants...

La mort ainsi familière entraînait peut-être des deuils moins dramatiques, tandis qu'aujourd'hui, une personne de quarante ans a de bonnes chances de n'avoir jamais connu la mort de près, ni dans la génération précédente, ses deux parents étant encore vivants, ni dans la génération suivante ses propres enfants vivant encore eux aussi.

Même s'ils ne maîtrisent pas parfaitement le concept de la mort, les enfants qui ont perdu un proche doivent vivre leur deuil tout comme les grands et s'acquitter en bonne partie des mêmes tâches qu'eux.

Nous savons combien les endeuillés ont besoin d'une présence attentive pour progresser dans leur deuil. Ceci est encore plus vrai pour les enfants, qui ont un besoin radical d'être éduqués, c'est-à-dire qu'on leur montre le chemin, et ceci, dans tous les secteurs de leur expérience.

Ceci s'applique également aux adolescents, dont certaines études donnent à penser que les réactions de deuil seraient plus fortes que celles des adultes (Meshot et Leitner, 1993).

POUR FACILITER LE DEUIL DE L'ENFANT

Les points de repère qui suivent sont destinés aux proches de l'enfant en deuil.

1. Veiller à ce que l'enfant ait une relation privilé-
    giée avec au moins un adulte qui compose
    bien avec le décès.

Même s'il n'est pas question d'écarter de l'enfant les proches qui sont les plus affectés, il faut
veiller à ce que celui-ci réalise qu'on peut vivre
l'expérience d'un décès sans en être catastrophé.

2. Apprendre la nouvelle du décès à l'enfant dès
    que le reste de la famille en est informée.

Cette nouvelle doit lui être communiquée si
possible par la personne décrite ci-haut, comme le
parent survivant, un oncle ou une tante ou un pro-
fesseur. Cette nouvelle doit lui être communiquée
en termes clairs, bien qu'avec le plus de douceur
et d'empathie possible.

3. Éviter de dire à l'enfant des choses qu'il dé-
    couvrira fausses par la suite.

L'enfant a déjà du mal à distinguer le réel de
l'irréel. Il ne faut pas lui dire par exemple que son
frère est mort «parce que le bon Dieu avait besoin
d'un petit ange», que son père, décédé dans un
accident, «va revenir un jour», ou que sa mère
«dort dans le cercueil et va se réveiller bientôt.»

En plus de lui compliquer la tâche de comprendre la réalité, ces pseudo-explications ont
pour effet de freiner le travail de deuil, et elles

concourent aussi à miner la confiance de l'enfant à l'endroit de l'adulte qui y a recours.

4.   Inviter l'enfant au salon funéraire et aux funérailles.

La visite au salon mortuaire et la participation aux funérailles de même qu'à l'inhumation, sont de nature à aider l'enfant à se situer dans la réalité et à ne pas nier le décès.

Par ailleurs, ce ne sont pas tous les enfants qui sont en mesure de profiter de cette expérience. Il faut donc discerner la capacité de chacun, à partir de sa façon de répondre à cette invitation.

Ceux qui ne sont jamais allés à un salon funéraire ou à des funérailles et à un enterrement doivent évidemment être préparés en se faisant expliquer ce qui va s'y passer. Une fois sur place, un adulte devrait les accompagner constamment pour les aider à verbaliser leurs émotions ou tout simplement pour les rassurer de sa présence.

Si l'enfant préfère demeurer à la maison, le confier à une personne dont il se sent proche, de manière à lui éviter un nouvel abandon, et lui raconter au retour ce qui s'est passé.

5.   Permettre à l'enfant d'exprimer ses émotions.

L'expression des émotions constitue l'élément central de l'expérience du deuil. Des enfants qui se préparaient au décès de leur mère demandaient à leur père: «Tu vas pleurer quand maman va mourir?», ce à quoi le père répondait: «Oui, bien sûr que je vais pleurer!» C'était pour eux une façon de demander à leur père de les aider à exprimer leur propre tristesse.

Plusieurs parents soumettent leurs enfants à la consigne du silence sans s'en rendre compte. Ce phénomène s'explique probablement par le désir inconscient des parents de se protéger du stress additionnel que représentent les réactions de deuil de leurs enfants. Cette consigne est évidemment de nature à rendre plus laborieux le cheminement de deuil de l'enfant.

6. Permettre à l'enfant de vivre sa propre recherche.

Ne pas imposer ses réponses d'adulte aux questions de l'enfant, ne serait-ce que non-verbalement, par une assurance réelle ou empruntée. Lui permettre de douter de notre vision des choses et de faire ses propres hypothèses. Ne pas avoir peur de lui dire qu'il y a des questions pour lesquelles nous n'avons pas de réponse.

7. Ne pas insister sur les détails morbides du décès.

Aider l'enfant à se détacher des circonstances dramatiques du décès, que ce soit par accident ou maladie, en le centrant sur les aspects positifs de la personne qui est morte, sur les bons souvenirs,

sur l'amour que le défunt lui a manifesté de différentes façons, etc.

Si la réalité du décès ne doit pas être niée,
l'enfant a par ailleurs besoin qu'on l'aide à accéder
à une image confortable du défunt.

8.   Aider l'enfant non verbalement.

En situation de détresse, nous avons besoin
d'être entourés, tenus, enveloppés d'affection.
Nous pouvons aider l'enfant à ce niveau en lui parlant doucement et affectueusement, en lui commu-
niquant la chaleur de notre corps, en lui donnant
de l'affection.

9.   Libérer l'enfant des illusions qui bloquent son
      deuil.

Quand un enfant dit: «Je pense que ma mère
va revenir», il exprime sa nostalgie de la relation
perdue, et on doit accueillir avec empathie cette
souffrance. Il faut réaliser en même temps que
cette illusion l'empêche de laisser aller le parent
qu'il a perdu dans la mort.

Le travail de deuil ne peut s'amorcer que par la
reconnaissance du caractère irréversible de la
perte. En entretenant cette illusion, on ne peut
donc que contribuer à augmenter l'isolement de
l'enfant en créant des *bulles*: celle de l'enfant prisonnier de ses illusions et qu'il faut prendre garde
de crever, et celle de chaque adulte aux prises

avec son deuil mais qu'il ne peut pas faire ouvertement, au risque de crever sa propre bulle.

L'enfant sent beaucoup plus qu'il ne l'exprime, et il voit bien que quelque chose s'est passé qui a changé radicalement la vie autour de lui. L'aider à comprendre ce qui se passe ne peut qu'avoir un effet libérateur, non seulement pour lui mais pour ses proches également, quitte à aider ces derniers à comprendre pourquoi il est important que la vérité soit dite.

10. Chercher à comprendre les comportements de l'enfant.

L'enfant idéalise parfois à l'extrême son parent défunt, ce qui peut l'amener à dévaloriser en comparaison le parent survivant. Celui-ci pourra devenir la cible de la colère de l'enfant, qui réagit inconsciemment au fait qu'il ait été abandonné.

Si les garçons tendent à déployer plus d'activité motrice et de comportements agressifs, les filles tendent souvent pour leur part à devenir des *petites mères* à l'endroit du parent survivant, tout en demeurant anxieuses quant à leur capacité et à celle du parent survivant de faire face à la situation.

Quels que soient les comportements de l'enfant, que ce soit ceux-ci ou ses difficultés à l'école, il faut tenter d'en comprendre l'origine, en essayant de les relier à la façon dont le deuil est vécu.

L'IMPACT À LONG TERME DU DIVORCE OU DE LA MORT D'UN PARENT

On a fait un suivi auprès de 256 sujets des deux sexes qui avaient participé à une étude plus de trente ans auparavant. Ce suivi a permis de retracer des problèmes semblables à ceux provoqués par un deuil chez les sujets dont les parents avaient divorcé alors qu'ils étaient eux-mêmes enfants (Bendiksen et Fulton, 1975).

On a même observé qu'en un sens, le groupe des enfants de parents divorcés avaient éprouvé plus de difficulté que le groupe des enfants endeuillés. En plus d'avoir perdu des relations familiales normales, ces sujets avaient vécu un abandon et la culpabilité qui en découle, mais sans pouvoir expliquer cette désertion par l'événement clair et net de la mort.

Des recherches plus récentes ont également trouvé des traces à long terme de ces événements, et plus fortes là aussi dans le cas d'un divorce que dans celui de la mort d'un parent. Par exemple, McLeod (1991) a interviewé un échantillon de 1 755 sujets mariés des deux sexes dans la région de Détroit, et elle s'est aperçue que les conjoints dont les parents avaient divorcé alors qu'ils étaient enfants tendaient à percevoir leur propre vie de couple d'une façon plus négative que ceux dont l'un des parents était décédé dans leur enfance. Ces deux groupes de sujets percevaient en moyenne leur vie de couple moins positivement que les sujets issus de foyers intacts (voir aussi Brown et coll., 1986).

Ces études attirent l'attention sur plusieurs points. D'abord sur le fait que la mort n'est pas la seule cause de pertes importantes chez l'enfant. Ensuite sur le fait que le climat de conflit qui entoure un divorce est plus nocif que le désarroi provoqué par le décès d'un parent. Et enfin, sur l'impact d'un climat de stabilité affective sur la capacité ultérieure de l'enfant de vivre ses attachements.

Conclusion

Ceci termine notre exploration du phénomène du deuil et de ses enjeux. Le long travail de reconstruction qui nous attend à la suite d'une perte importante a bien des chances de nous changer à jamais. Ce travail s'effectuera en partie d'une façon spontanée et inconsciente, mais à d'autres moments, nous aurons des prises de conscience à faire et des gestes à poser.

Ce volume a été écrit dans le but de nous aider à avoir la lucidité et le courage nécessaires pour prendre ces tournants, ou pour trouver les mots pour aider nos proches à progresser dans leur propre deuil.

Références

ANTONOVSKY, A., 1979, *Health, Stress and Coping*, San Francisco, Jossey-Bass.

ANTONOVSKY, A., 1987, *Unraveling the Mystery of Health*, San Francisco, Jossey- Bass.

BARRETT, T., SCOTT, T., 1990, Suicide bereavement and recovery patterns compared with nonsuicide bereavement patterns, *Suicide and Life Threatening Behavior*, vol. 20, p. 1-15, cités par VAN DONGEN, 1993, p. 127.

BEAUPRE, C., DE GRACE, G.-R., 1986, La solitude chez les personnes âgées: une recension des recherches empiriques, DE GRACE, G.-R. et JOSHI, P., dirs, *Les crises de la vie adulte*, Montréal, Décarie, p. 237-253.

BENDIKSEN, R., FULTON, R., 1975, Death and the child: an anterospective test of the childhood bereavement and later behavior disorder hypothesis, *Omega*, vol. 6, p. 45-60.

BONANNO, G., SINGER, J., 1990, Repressive Personality Style: Theoretical and Methodological Implications for Health and Pathology, SINGER, dir, p. 435- 470.

BOWEN, M., 1991, Family Reaction to Death, WALSH et McGOLDRICK, p. 79-92.

BOWLBY, J., 1951, *Maternal care and mental health,* Geneva, World Health Organization, London, Her Majesty's Stationery Office.

BOWLBY, J., 1969, 1973, 1980, *Attachment and Loss*, New York, Basic Books (vol. I: *Attachment*, vol. II: *Separa-*

tion: Anxiety and Anger, vol. III: *Loss, Sadness and Depression*).

BOWLBY, J., 1988, *A Secure Base, Parent-Child Attachment and Healthy Human Development,* New York, Basic Books.

BOWLING, A., 1988, Who dies after widow(er)hood? A discriminant analysis, *Omega*, vol. 19, no 2, p. 135-153.

BOZZINI, L, TESSIER, R., 1989, *L'insatisfaction maritale et l'intensité du deuil post-séparation: leurs effets sur la santé physique et le bien-être psychologique,* Laboratoire de recherche en écologie humaine et sociale, UQAM.

BRABANT, S., et coll., 1992, Grieving men: Thoughts, Feelings, and Behaviors Following Deahts of Wives, *The Hospice Journal*, vol. 8, no 4, p. 33-47.

BROWN, G., et coll., 1986, Long-Term Effects of Early Loss of Parent, RUTTLER, G. et coll. dirs, *Depression in Young People*, New York, Guilford, p. 251-296, cités par McLEOD, 1991, p. 214.

CALHOUN, L., ALLEN, B., 1991, Social reactions to the survivor of a suicide in the family: A review of the literature, *Omega*, vol. 23, no 2, p. 95-107.

CAMPBELL, J. et coll., 1991, The role of hardiness in the resolution of grief, *Omega*, vol. 23, no 1, p. 53-65.

CANTOR, R., 1978, *And a time to live*, New York, Harper and Row.

CHRISTENSEN, A., MARGOLIN, G., 1988, Conflict and alliance in distressed and non- distressed families, HINDE et STENVESON-HINDE, p. 263-282.

COSTA, P., McCRAE, R., 1988, Personality in Adulthood: A Six-Year Longitudinal Study of Self-Reports and Spouse Ratings on the NEO Personality Inventory,

Journal of Personality and Social Psychology, vol. 54, no 5, p. 853-863.

DELISLE, I., 1987, Survivre au deuil, L'intégration de la perte, Montréal, Editions Paulines.

DEMI, A., 1989, Death of a Spouse, KALISH, p. 218-248.

DEMI, A., HOWELL, C., 1991, Hiding and Healing: Resolving the Suicide of a Parent or Sibling, Archives of Psychiatric Nursing, vol. 5, no 6., p. 350-356.

DESSONVILLE HILL, C., THOMPSON, L., GALLAGHER, D., 1988, The Role of Anticipatory Bereavement in Older Women's adjustment to Widowhood, Gerontologist, vol. 28, no 6, p. 792-796.

DOKA, K., 1986, Loss upon loss: The impact of death after divorce, Death Studies, vol. 10, p. 441-449.

DOKA, K., 1987, Silent sorrow: Grief and the loss of significant others, Death Studies, vol. 11, p. 455-569.

EDELSTEIN, L., 1984, Maternal Bereavement, Coping with the Unexpected Death of a Child, New York, Praeger.

EPSTEIN, S., 1993, Bereavement from the perspective of cognitive-experiential self-theory, STROEBE et coll., p. 112-125.

FERRARO, K., 1989, Widowhood and Health, MARKIDES, COOPER, p. 69-83.

FOSTER, D., O'MALLEY, J., KOOCHER, G., 1981, The parent interviews, KOOCHER, G. et O'MALLEY, J., dirs, The Damocles syndrome: Psychosocial consequences of surviving childhood cancer, New York, McGraw-Hill, cités par RANDO, 1984, p. 403.

FOURASTIE, J., 1959, De la vie traditionnelle à la vie tertiaire, Population, vol. 14, p. 417-423, cité par MARSSHALL, 1980, p. 12.

FRECHETTE-PIPERNI, S., 1992, Le décès péri-natal, DUFRESNE, J., dir, *Le chant du cygne, Mourir aujourd'hui*, Montréal, Méridien, p. 161-166.

FREUD, S., 1917, *Mourning and Melancholia*, Standard Edition, vol. 14, London, Hogarth Press, 1957.

GOODMAN, S., 1990, The Special Needs of Bereaved Children, KUTSCHER et coll., p. 47-50.

GREAVES, C., 1983, Death in the family: A multifamily therapy approach, *International Journal of Family Psychiatry*, vol. 4, p. 247-259, cité par WORDEN, 1991, p. 118.

HETU, J.-L., 1992, *Psychologie du vieillissement*, 2ème édition, Montréal, Méridien.

HINDE, R., STEVENSON-HINDE, J., dirs, 1988, *Relationships within Families, Mutual Influences,* Oxford, Clarendon Press.

HORACEK, B., 1991, Toward a more viable model of grieving and consequences for older persons, *Death Studies*, vol. 15, p. 459-472.

IMBER-BLACK, E., 1991, Rituals and the Healing Process, WALSH et McGOLDRICK, p. 207-223.

JAMES, W., 1902, *The varieties of religious experience*, New York, Collier Books, (1961).

JOHNSON, S., 1987, *After a Child Dies, Counseling Bereaved Families,* New York, Springer.

KALISH, R., dir, 1989, *Midlife Loss, Coping Strategies*, Newbury Park, California, Sage, p. 149-178.

KALLENBERG, K., 1992, Three Years Later: Grief, View of Life, and Personal Crisis After Death of a Family Member, *Journal of Palliative Care*, vol. 8, no 4, p. 13-19.

KLASS, D., 1986-1987, Marriage and divorce among bereaved parents in self-help groups, *Omega*, vol. 17, p. 237-249, cité par SCHWAB, 1992, p. 142.

KLASS, D., 1988, *Parental Grief, Solace and Resolution,* New York, Springer.

KLASS, D., 1989, The resolution of parental bereavement, KALISH, p. 149-178.

KLASS, D., 1993a, Solace and immortality: bereaved parents' continuing bond with their children, *Death Studies*, vol. 17, p. 343-368.

KLASS, D., 1993b, The inner representation of the dead child and the worldview of bereaved parents, *Omega*, vol. 26, no 4, p. 255-272.

KOVARSKY, R., 1989, Loneliness and Disturbed Grief: A Comparison of Parents Who Lost a Child to Suicide or Accidental Death, *Archives of Psychiatric Nursing*, vol. 3, no 2, p. 86-96.

KUBLER-ROSS, E., 1970 (c. 1969), *On Death and Dying*, New York, Macmillan.

KUTSCHER, A., et collègues, dirs, 1990, *For the Bereaved, The Road to Recovery,* Philadelphia, The Charles Press.

LANG, A., GOTTLIEB, L., 1993, Parental grief reactions and marital intimacy following infant death, *Death Studies*, vol. 17, p. 233-255.

LEAHY, J., 1993, A Comparison of depression in women bereaved of a spouse, child, or a parent, *Omega*, vol. 26, no 3, p. 207-212.

LESTER, D., 1992, The stigma against dying and suicidal patients: A replication of Richard Kalish's study twenty-five years later, *Omega*, vol. 26, no 1, p. 71-75.

LITTLEFIELD, C., RUSHTON, P., 1986, When a Child Dies: The Socio-biology of Bereavement, *Journal of Personality and Social Psychology,*, vol. 51, no 4, p. 797-802.

LOPATA, H., 1975, Widowhood: Societal Factors In Life-Span Disruptions and Alternatives, dans DATAN, N., GINSBERG, L., 1975, *Life-Span Developmental Psychology, Normative Life-Crises,*, New York, Academic Press, p. 217-234.

LOPATA, H., 1987, article Loneliness, MADDOX, p. 408.

LUND, D., 1989, dir, *Older bereaved spouses,* New York, Hemisphere, cité par HORACEK, 1991, p. 465.

LUND, D. et collègues, 1993, The course of spousal bereavement in later life, STROEBE et coll., p. 240-254.

MADDI, S., KOBASSA, S., 1991 (c. 1984), The Development of Hardiness, MONAT, A., LAZARUS, R., dirs, *Stress and Coping, An Anthology,* 3ème édition, New York, Columbia Press.

MADDOX, G., 1987, dir., *Encyclopedia of Aging*, New York, Springer.

MALLINCKRODT, B., 1992, Childhood Emotional Bonds With Parents, Development of Adult Social Competencies, and Availability of Social Support, *Journal of Counseling Psychology,* vol. 39, no 4, p. 453-461.

MARSHALL, V., 1980, dir, *Aging in Canada, Social Perspectives,* Don Mills, Ontario, Fitzhenry and Whiteside.

MARKIDES, K, COOPER, C., 1989, dirs, *Aging, Stress and Health*, New York, John Wiley & Sons.

MARTIN MATTHEWS, A., 1991, *Widowhood in Later Life*, Toronto, Butterworths.

MARTINSON, I. et collègues, 1991, Parental depression following the death of a child, *Death Studies*, vol. 15, p. 259-267.

McCLOWRY, S., DAVIES, E., MAY, K., KULENKAMP, E., MARTINSON, I., 1987, The empty space phenomenon: The process of grief in the bereaved family, *Death Studies*, vol. 11, p. 361-374.

McCOLGAN, P., 1989, La perte péri-natale, Comment aider les familles à composer avec la naissance d'un mort-né et le décès d'un nouveau-né, *Santé mentale au Canada*, mars 1989, p. 25-28.

McCRAE, R., COSTA, P., 1988, Psychological Resilience Among Widowed Men and Women: A 10-Year Follow-up of a National Sample, *Journal of Social Issues*, vol. 44, no 3, p. 129-142.

McCRAE, R., COSTA, P., 1991, The NEO Personality Inventory: Using the Five Factor Model in Counseling, *Journal of Counseling and Development*, vol. 69, March-April, p. 367-372.

McINTOSH, J., WROBLESKI, A., 1988, Grief reactions among suicide survivors: An exploratory comparison of relationships, *Death Studies*, 12, p. 21-39.

McLEOD, J., 1991, Childhood Parental Loss and Adult Depression, *Journal of Health and Social Behavior*, vol. 32, September, p. 205-220.

MERCIER, J., 1994, La fausse couche: un deuil mal compris, *La Presse*, 10 avril, p. C-2.

MESHOT, C., LEITNER, L., 1993, Adolescent mourning and parental death, *Omega*, vol. 26, no, 4, p. 287-299.

MILLS, G., 1988, Après la mort subite d'un tout-petit, Apprivoiser le chagrin, *Initiative,* Conseil canadien de développement social, vol. 5, no 1, p. 5.

MINA, C., 1985, A Program For Helping Grieving Parents, *American Journal of Maternal/Child Nursing*, vol. 10, March/April, p. 118-121.

ORMEL, J., WOHLFARTH, T., 1991, How Neuroticism, Long-Term Difficulties, and Life Situation Change Influence Psychological Distress: A Longitudinal Model, *Journal of Personality and Social Psychology*, vol. 60, no 5, p. 744-755.

PARKES, C. M., WEISS, R., 1983, *Recovery from Bereavement*, New York, Basic Books.

RANDO, T., 1983, An Investigation of Grief and Adaptation in Parents Whose Children Have Died from Cancer, *Journal of Pediatric Psychology,* no 8, pp 3-20, citée par RANDO, 1986, p. 20 et 22.

RANDO, T., 1986, Edr., *Loss and Anticipatory Grief*, Lexington, Mass., Lexington Books.

RANDO, T, 1992, The increasing prevalence of complicated mourning: The onslaught is just beginning, *Omega*, vol. 26, no 1, p. 43-59.

RANDO, T., 1993, *Treatment of Complicated Mourning,* Champaing, Illinois, Research Press.

RAPHAEL, B., 1983, *The Anatomy of Bereavement,* New York, Basic.

ROLLINS BOHANNON, J., 1990, Grief responses of spouses following the death of a child: A longitudinal study, *Omega*, vol. 22, no 2, p. 109-121.

ROLLAND, J., 1991, Helping Families With Anticipatory Loss, WALSH et McGOLDRICK, p. 144-163.

ROSENKRANZ KRYSINSKI, P., 1993, Coping with Suicide: Beyond the Five-Day Bereavement Leave Policy, *Death Studies*, vol. 17, p. 173-177.

RUBIN, S., 1990, Death of the future: An outcome study of bereaved parents in Israel, *Omega*, vol. 20, no 4, p. 323-339, cité par EPSTEIN, 1993, p. 120.

SANDERS, C., 1980, A comparison of adult bereavement in the death of a spouse, child, and parent, *Omega*, vol. 10, p. 303-322.

SANDERS, C., 1993, Risk factors in bereavement outcome, STROEBE et coll., p. 255-267.

SCHMIDT, L., 1987, Working with Bereaved Parents, KRULIG et coll., Eds., *The Child and Family Facing Life-Threatening Illness,* New York, Lippincott.

SCHWAB, R., 1990, Paternal and maternal coping with the death of a child, *Death Studies*, vol. 14, p. 407-422.

SCHWAB, R., 1992, Effects of a child's death on the marital relationship: A preliminary study, *Death Studies,* vol. 16, p. 141-154.

SHABAD, P., 1989, Vicissitudes of psychic loss of a physically present parent, DIETRICH, D., SHABAD, P., dirs, *The problem of loss and mourning*, p. 110- 126, Madison, Co., International University Press, cité par WINGERSON, 1992, p. 240.

SHANDOR MILES, M., STERNER DEMI, A., 1992, A comparison of guilt in bereaved parents whose children died by suicide, accident, or chronic disease, *Omega,* vol. 24, no 3, p. 203-215.

SHEPPERD, J., KASHANI, J., 1991, The Relationship of Hardiness, Gender, and Stress to Health Outcomes in Adolescents, *Journal of Personality*, vol. 59, no 4, p. 747-768.

SHNEIDMAN, E., 1990, To the Bereaved of a Suicide, KUTSCHER et coll., p. 50-52.

SHUCHTER, S., ZISOOK, S., 1993, The course of normal grief, STROEBE et coll., p. 23-43.

SILVERMAN, P., WORDEN, W., 1993, Children's reactions to the death of a parent, STROEBE et coll., p. 300-316.

SINGER, J., 1990, dir, *Repression and Dissociation, Implications for Personality Theory, Psychopathology, and Health,* Chicago, Chicago University Press.

STAUDACHER, C., 1991, *Men and Grief, A Guide for Men Surviving the Death of a Loved One, A Resource for Caregivers and Mental Health Professionals,* Oakland, New Harbinger Publications.

STERNER DEMI, A., SHANDOR MILES, M., 1988, Suicide bereaved parents: Emotional distress and physical health problems, *Death Studies*, vol. 12, p. 297-307.

STROEBE, M., GERGEN, M., GERGEN, K, STROEBE, W., 1992, Broken Hearts or Broken Bonds, Love and Death in Historical Perspective, *American Psychologist*, vol. 47, no 10, p. 1205-1212.

STROEBE, M., STROEBE, W., 1987, *Bereavement and Health: The Psychological and Physical Consequences of Partner Loss,* Cambridge, Cambridge University Press.

STROEBE, M., STROEBE, W., 1993a, Determinants of adjustment to bereavement in younger widows and widowers, STROEBE et coll., p. 208-226.

STROEBE, M., STROEBE, W., 1993b, The mortality of bereavement: A review, STROEBE et coll., p. 175-195.

STROEBE, M., HANSSON, R., STROEBE, W., 1993, dirs, *Handbook of Bereavement: Theory, Research and Intervention,* New York, Cambridge University Press.

STROEBE, W., STROEBE, M., DOMITTNER, G., 1988, Individual and Situational Differences in Recovery from

Bereavement: A Risk Group Identified, *Journal of Social Issues*, vol. 44, no 3, p. 143-158.

STRYCKMAN, J., 1986, Adaptation au vieillissement: un défi, *Cahiers des Journées de formation annuelle du Sanatorium Bégin*, no 5, p. 7-20.

STYLIANOS, S., VACHON, M., 1993, The role of social support in bereavement, STROEBE et coll., p. 397-410.

SULLIVAN, G., 1993, Towards clarification of convergent concepts: sense of coherence, will to meaning, locus of control, learned helplessness and hardiness, *Journal of Advanced Nursing*, no 18, p. 1772-1778.

TESSIER, R., 1990, Un instrument de mesure de deuil, *Frontières*, vol. 2, no 3, p. 42-44.

THOMPSON, K, RANGE, L., 1992, Bereavement following suicide and other deaths: Why support attemps fail, *Omega*, vol. 26, no 1, p. 61-70.

UMBERSON, D., WORTMAN, C., KESSLER, R., 1992, Widowhood and Depression: Explaining Long-Term Gender Differences in Vulnerability, *Journal of Health and Social Behavior*, vol. 33, March, p. 10-24.

VAILLANT, G., 1990, Repression in College Men Followed for Half a Century, SINGER, p. 259-273.

VAN DONGEN, C., 1993, Social context of postsuicide bereavement, *Death Studies*, vol. 17, p. 125-141.

VIAU, M. et ses fils, 1989, *Ceux qui restent, Réflexion sur un deuil*, Sainte-Foy, Anne Sigier.

WALSH, F., McGOLDRICK, M., 1991, Loss and the Family: A Systemic Perspective, WALSH et McGOLDRICK, p. 1-29.

WALSH, F., McGOLDRICK, M., dirs, 1991, *Living Beyond Loss: Death in the Family*, New York, Norton.

WEINBERGER, D., 1990, The Construct Validity of the Repressive Coping Style, SINGER, p. 337-386.

WEISS, R., 1982, Attachment in Adult Life, PARKES, C., STEVENSON-HINDE, J., dirs, *The Place of Attachment in Human Behavior*, New York, Tavistock, p. 171-184.

WIEBE, D., WILLIAMS, P., 1992, Hardiness and health: A social psychophysiological perspective on stress and adaptation, *Journal of Social and Clinical Psychology*, vol. 11, no 3, p. 238-262.

WIEBE, D., WILLIAMS, P., SMITH, T., 1990, *Hardiness and neuroticism: Overlapping constructs?*, Eleventh Annual Meeting of the Society of Behavioral Medicine, Chicago, cités par WIEBE et WILLIAMS, 1992, p. 241.

WINGERSON, N., 1992, Psychic Loss in Adult Survivors of Father-Daughter Incest, *Archives of Psychiatric Nursing*, vol. 6, no 4, p. 239-244.

WORDEN, W., 1991, *Grief Counseling and Grief Therapy, A Handbook for the Mental Health Practicioner,* 2ème édition, New York, Springer.

XXX, *L'âge, le sexe et l'état matrimonial*, 1992, Ottawa, Statistiques Canada, Ministère des approvisionnements et services.

ACHEVÉ D'IMPRIMER
CHEZ
MARC VEILLEUX,
IMPRIMEUR À BOUCHERVILLE,
EN OCTOBRE MIL NEUF CENT QUATRE-VINGT-DIX-HUIT